猿與鳥

二百五十年後的幻想
另一類的科學思維

第二冊

陳永騰著

文學叢刊
文史哲出版社印行

國家圖書館出版品預行編目資料

猿與鳥 / 陳永騰著. -- 初版. -- 臺北市：文史哲, 民 97.11

頁： 公分. --（文學叢刊；206）

ISBN 978-957-549-816-0 (全套：平裝)

1.科幻易理小說

857.7 97019990

文 學 叢 刊 206

猿 與 鳥 （全四冊）

著 者：陳 永 騰

出 版 者：文 史 哲 出 版 社

http:// www.lapen.com.tw

e-mail：lapen@ms74.hinet.net

登記證字號：行政院新聞局版臺業字五三三七號

發 行 人：彭 正 雄

發 行 所：文 史 哲 出 版 社

印 刷 者：文 史 哲 出 版 社

臺北市羅斯福路一段七十二巷四號

郵政劃撥帳號：一六一八〇一七五

電話886-2-23511028・傳真886-2-23965656

全四冊定價新臺幣一二八〇元

中華民國九十七年（2008）十二月 BOD 初版再刷

ISBN 978-957-549-816-0

猿與鳥 二百五十年後的幻想 另一類的科學思維 (二) 目 次

第十二象　冒險琉球懦夫臨陣顯神勇粉飾太平官僚歡樂隱危機

第一幕　君子豹變，小人革面

且先按下眾人臨敵事態後表。

距今六千七百萬年前，恐龍時代，白堊紀後期。一架帶有八卦符號的橢圓形宇宙飛船，飛臨地球上空。上面乘坐著怪異的生物，船上駕駛艙內，一半是液體一半是氣體空間。兩個異星生物正在對話，本來這是外星的高思維架構，姑且勉強用地球的文字與文化概念表述。

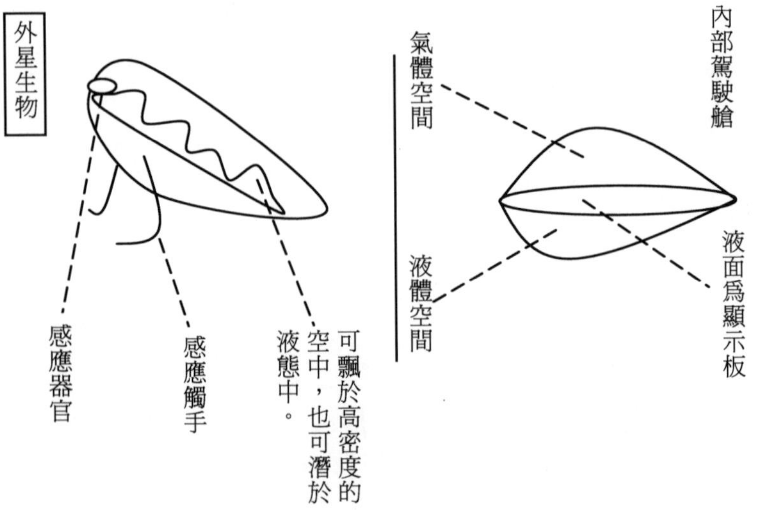
外星生物
感應器官
感應觸手
可飄於高密度的空中，也可潛於液態中。
內部駕駛艙
氣體空間
液體空間
液面為顯示板

外星生物乙，透過深度的感應能力，對外星生物甲述：「上一次我們來這個偏僻的星球，所帶走的直立生物。改造單位回報說，這些生物綜合生化型態很是最典型的『自擇天翦』形勢下，產生的生物型態。可以擁有智能，但是不可能演化成，終極的『宇宙物種』。我看我們這一回還是沒找到標的物！把牠們都放回去吧！」外星生物甲，停滯了一下，沒有回應。

外星生物乙繼續回波：「已經是第三十二回，越找越低等。難道宇宙中真的是沒有『最適者生存』的生態結構嗎？另外一對思維觀察組，勢必獲得『母親』的認同，相信這是最後一回取樣了。」

外星生物甲升波：「『母親』也希望有，然而事實將如『思維制』的推論，生物沒有真正的『最適者』，宇宙生物變易圈的根本法則，是不需要『最適者』的，『最適者』這種比較級的假設，完全是錯誤的。」

外星生物乙回波：「遺憾啊……最終的確認，竟然是在這個偏僻的破星球上面。好吧，我們該展開撤離程序了。」

甲升波：「別那麼快，我們長途跳來，何不多做幾件事情？或是多做幾種猜想。」

乙回波：「這顆星球完全沒有文明的痕跡，而且我們已經從型態上確定法則，未來這星球即使有智能與文明，也不會超過我們，就把那些樣本放回去就結案。還需要做什麼？」

甲升波：「那些生物既然不是『標的物』，所有權就歸我們兩個發現者，而不是改造單位。我倒是想做一個『突顯後續』的法則操作。不枉我們辛苦這麼久。」

乙回波：「我們又被派來這裡，就是要把標本們放回去，難道你想運作『次序程序』？」

甲升波：「正是此意，不如就把這些標本，帶到上一次我們觀察的星球，看看兩種『自擇天翦』的生態環境，交錯的後續情形。」

乙回波：「這樣會引起『母親』的質疑。」

甲升波：「只要我們不親自跳躍到該處，『母親』無從質疑。」

乙回波：「你是說，我們把這些標本，用自動飛船，跳往該處？但假設不設定改造因子，這些標本也無法在新環境存活這麼久。」

甲升波：「是的，就是要設定改造因子。我希望能夠在這種改造中，最後能『突顯』最適者型態的出現。」

乙回波：「君子豹變，小人革面。這種星球的生態，是最典型的自擇天翦，連絲毫『異則干擾』都沒有，即使出現智能生物，也只是小人智能，出現文明，也只是小人文明，原始的因素不會被改變的，終將湮沒在，浩瀚的宇宙時空角落中。這麼做，你不認爲會是真正的枉然嗎？」

甲升波：「我們已經枉然過了，就讓後續的時間中，讓這些生物的子孫，也感觸我們所經歷過的精神狀態吧！小人的文明之中，只要累積一定的數量曲度，最少必有一個『突顯』的個體。這也就是我要求『突顯後續』的原因。」

乙回波：「好，那就這麼做吧。」於是兩生物開始共同引波共鳴，二元感應，飛船外的八卦符號引擎，因其共鳴，高速旋轉，忽然從空間中消失。留下白堊紀諸多恐龍們，一陣驚擾。然隨即又恢復原狀，繼續原有的弱肉強食。

第二幕　祕密特攻作戰

回到人類末世時代，十三號別墅外，兩架飛碟內。

啓易三年元月二十日。

袁毓真與蔣婕妤才休養兩天，就各自操作著一架飛碟，帶領著機器人與女兵們，往琉球方向飛過去。歐陽玉珍、姜麗媛、大司馬大將軍、大司徒，在袁毓真的紅二號飛碟上。而黃敏慧、何佩芸、驃騎將軍、大司空，在蔣婕妤的飛碟上。飛行當中，透過視訊螢幕，袁毓真、蔣婕妤，與空軍大將軍錢勝煌，展開三方對談。錢勝煌說：「兩位放心，我已經派了三支戰鬥航空隊，成爲你們的後盾。保證各位安全到達琉球島的登陸地點，與登陸的兵力會合。」

袁毓真說：「這次元首大人調集十萬大軍，收復一個小小琉球，肯定是收得回來。但是我擔心的是，萬一龍族又像對付歐美聯盟的大城市那樣，使用毀滅光束，那麼整個島，一下就會灰飛煙滅了。」

錢勝煌說：「這也是我害怕的，目前我國的科學家，已經密切與世界其他各國共同研究，該怎麼克服龍族的毀滅光束。不過龍族到目前爲止，已經把歐美聯盟與非洲、南美洲各國的聯合部隊都打垮，只用了兩次這種毀滅性武器，而且都是報復人類使用核武而發射的。戰略專家分析，龍族基於某些原因，或許是不想要傷害地球上其他物種，並不喜歡使用這種毀滅武器。大多都用宇宙戰艦與各類自動兵器，來做消滅人類的攻擊。所以大多數情況，都是傳統性的戰爭。」

蔣婕妤說：「從歐美聯盟的戰況來分析，核武已經沒有效果，只有成功偷襲了一艘龍族飛船，卻付出被報復後的上億人生命作代價。無論任何角度看，尤其在智能的運用上，龍族都已經佔有絕對優勢，這場戰爭我怕是打不贏了。」

錢勝煌說：「就是因爲面對的是，比我們還要聰明得多，各方面都佔絕對優勢的生物，所以元首大人才會採取你們的意見！各位收復琉球之後，一定要得到更多的龍族情報給我們。最好能探查到龍族離開太陽系的時程，這也是袁秀士你給我們的情報，這責任自然也在你身上。」

袁毓真心思：（荒唐！之前我責任在得到情報，得到情報之後，竟然又轉回變成責任？太荒唐了！我看被這些爛人搞下去，我們都會完蛋。）終於忍不住回答說：「將軍你太誇張了！照你這麼說，我的責任是無窮止境，也可以無限上綱啦！到最後是不是龍族的出現，都要算在我頭上？」頗露不滿神色。

錢勝煌微笑了一下說：「責任在不在你，自有公評，這是元首大人的吩咐，你還是依原訂的計畫，認真執行再說吧。」心思：（哼，半途出道的官僚。太嫩了。）

兩架飛碟帶領著三支航空隊，九十架戰鬥攻擊機，往琉球上空奔殺而去。企圖先行奪取制空權，然後掩護海陸軍大規模登陸作戰。此時全世界的人造衛星系統，都已經被龍族給擊毀，只能靠無人偵察機的發訊回報，靠近了琉球上空，戰鬥飛機的總隊長，急忙通訊袁毓真，轉訊於錢勝煌的空軍總指揮部說：「報告，在北緯二十六度一分，東經一百二十七度三分上空，發現一艘龍族太空戰艦，高度約為海面上三千公尺。距離第一航空大隊有五公里遠，請求指示，是否發射導彈進攻？」

錢勝煌透過通訊器說：「立刻展開攻勢消滅敵人一切空中武力，依照計畫奪取制空權。現在開始，執行第二階段方案，空戰總指揮交給袁毓真。」

袁毓真站在飛碟通訊塔旁，早知道這些人對龍族作戰沒有信心，想要把責任都推給其他人，好在自己也有備案，立刻開啓紅二號擬定的作戰方案，對著所有護航的戰機駕駛員說：「第一航空隊發射遠程天健飛彈，然後展開自由射擊，纏住敵人的太空戰艦。第二航空隊切入琉球島上空，低空低速，攻擊龍族地面武力。第三航空隊掩護飛碟，切入琉球東方盤旋空域。」

眾戰機依指令展開攻勢，然而天健飛彈才靠近宇宙戰艦，就被攔截的光束火力全部擊落，然後放出上百架扁身花型的飛行物，以及之前迎戰五大艦隊時的那架全身泛藍的戰鬥機體，近距離迎戰。

袁毓真與蔣婕妤的雷達顯示台兼通訊塔，出現敵戰艦的立體模擬畫面，體積比較之前紅與白駕駛的宇宙戰艦還要大，型態更加地怪異。

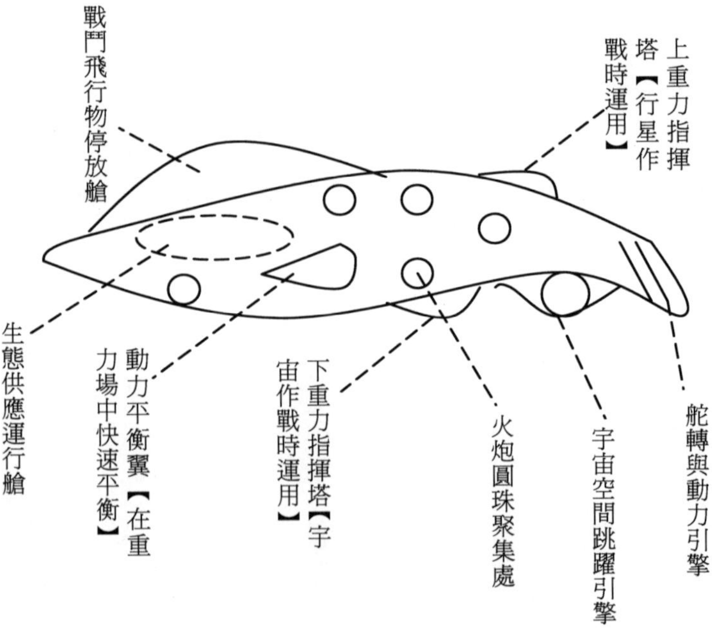

戰鬥飛行物停放艙
上重力指揮塔【行星作戰時運用】
生態供應運行艙
動力平衡翼【在重力場中快速平衡】
下重力指揮塔【宇宙作戰時運用】
火炮圓珠聚集處
宇宙空間跳躍引擎
舵轉與動力引擎

紅二號除了回報袁毓真，也通訊蔣婕妤說：「不好，必須改變原有作戰計畫！這是龍族第二戰力級的宇宙戰艦，戰鬥力比之前紅所駕駛的戰艦強大。竟然還配屬一台『天帝』戰鬥機體，依照第一航空隊的戰鬥力，不是這龍族的對手。」

袁毓真說：「那就全部一起上！圍攻它！」紅二號回答：「即使一起上也攻不破的。」袁毓真說：「現在顧不了那麼多了，所有人聽清楚，除了攻擊地面龍族兵器的第二航空隊。其他所有武力進攻那一艘大傢伙！」

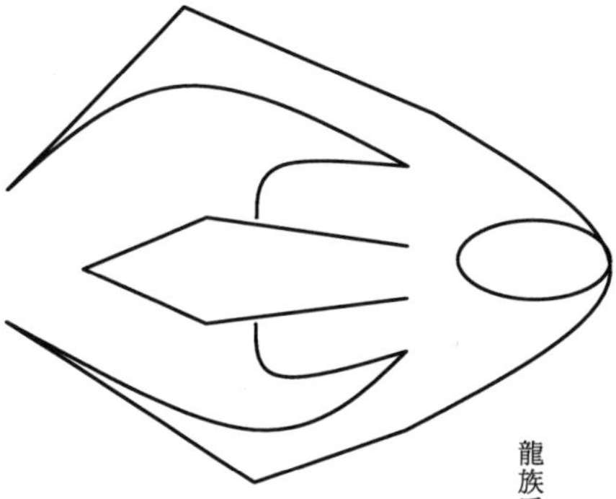

龍族扁身花型自動戰鬥機

天帝
【體積爲扁身花型器二十倍】

蔣婕妤說：「這樣不等於以卵擊石嗎？」袁毓真說：「現在實施，我們自己商量的特攻計畫！蔣妹妹，讓驃騎將軍跟大司馬大將軍同步行動！」

於是兩架飛碟，兩空中航空隊六十架戰鬥機，從四面八方靠近龍族宇宙戰艦，在琉球上空邊走邊打，展開一場空中大戰。忽然兩架花型器穿過護航機，發射菱形閃光彈，在袁毓真飛碟周圍爆炸，飛碟發生劇烈地晃動，歐陽玉珍與姜麗媛都不約而同尖叫了起來。回穩之後，紅二號發射飛彈反擊，把兩架花型器擊落。而後袁毓真說：「特攻作戰開始，大司馬大將軍，現在看你的啦！兩位妹妹坐穩啦！」大司馬大將軍說：「皇孫殿下放心，我一定搗毀牠們！」歐陽玉珍與姜麗媛緊抓駕駛者座位的把手。大司徒打開了飛碟艙門，碟內產生一股強風，眾女子緊抓把手不敢放，大司馬大將軍率領著三十多架小機器人，從艙門口飛出去。

機器人們在空中列成兩隊，一隊由驃騎將軍帶領，向戰艦的後引擎奔去，另一隊由大司馬大將軍帶頭，飛往上重力指揮塔。在空中的大混戰中，這些小不點根本不起眼。放走它們之後，兩架飛碟遂下令所有航空隊，快速脫離戰場。

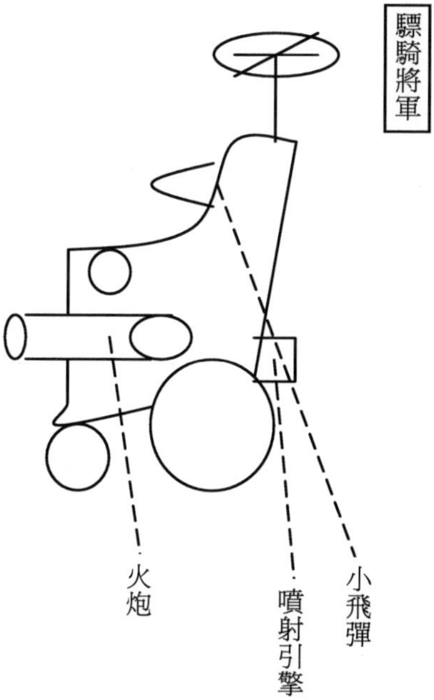

然而天帝與眾花型器緊追不捨，邊飛邊打，兩航空隊幾乎全軍覆沒，飛行員多數陣亡。兩架飛碟也被打傷，緊急迫降在琉球島上。第二航空隊見形勢不妙，趕緊掉頭，往西飛回基地去。

袁毓真、蔣婕妤、黃敏慧、何佩芸、歐陽玉珍、姜麗媛，六人從冒煙的飛碟中，被機器人們拉了出來，一起躲在樹叢中。

所幸兩架飛碟都損傷不重，大司徒等機器人正在加緊維修飛碟。

六人躲在樹林中，等了一個多小時不敢出來，何佩芸瞧著望遠鏡，高興地喊著說：「妳們快看！龍族戰艦冒煙啦！特攻作戰成功啦！」眾女孩一陣欣喜鼓掌。袁毓真也拿起望遠鏡，看到戰艦的後引擎冒煙，並且艦體接二連三爆炸，掉落到海裡，也高興地笑了出來，喊說：「哈哈！紅二號給我們的戰艦內部結構沒有錯！機器人們真的找到核心動力室，把它給徹底引爆啦！」

然後轉而對負責通訊的黃敏慧說：「敏慧，妳立刻通訊給賀嘉珍，讓她回報給元首大人，說『智慧四人組』的秘密作戰行動成功！幹掉一艘巨大的龍族宇宙戰艦。按照紅二號的粗略計算，至少也宰了五百名龍族駕駛者。這場空戰我們算是贏了！」黃敏慧笑著說：「遵命！」於是操作通訊器，將戰況詳細回報到賀嘉珍辦公室。

第三幕　翻天回馬槍

消息回報到賀嘉珍那邊，立刻轉到元首大人府邸的作戰會議室，元首大人收到擊毀龍族巨大宇宙戰艦的捷報，意氣昂揚，立刻下令陸海軍協同，展開登陸作戰。中央總艦隊指揮官何家寶，與海軍大將軍林通貫，率領十萬海陸部隊，並在第二波空軍的掩護下，登上了琉球島。一時之間全島混戰，陸地上的龍族自動機械部隊，一一被掃滅。

元月二十一日，凌晨兩點，陸地部隊總指揮官，間歇性發射，攻佔全島的煙火炮，躲在樹林中的姜麗媛看了，高興地大喊說：「妳們快來看！這是軍方的勝利訊號，我們贏啦！」六人歡欣鼓舞。袁毓真也喜道：「總算贏了，躲了十八個小時……總算可以出去會合啦。」蔣婕好拉了拉袁毓真的衣袖說：「袁大哥，我總覺得太簡單了點。龍族不會這麼容易就被打敗。」袁毓真說：「這我知道，不過可能是我們突然攻破了宇宙戰艦，出乎牠們的意料，才有意放棄這個島。」黃敏慧說：「不管怎樣，我們還是趕快去跟部隊會合。」

於是六人率領著，大司空、大司徒等三十多個大小機器人，隱藏好兩艘維修好的飛碟，走出樹林到達琉球島上的總指揮室，指揮室爲戰前的一間民房。林通貫與剛乘坐飛機來的陸軍大將軍王神通，一同在指揮室裡部署防務。

袁毓真等六人，在房內洗浴飲食過後，到達指揮大廳。林通貫與王神通，對六人行揖道謝，林通貫說：「這一次袁副部長帶領部下，出乎意料展開突擊戰術。攻破了龍族的太空戰艦，打中龍族部隊的痛處，才讓收復琉球島順利完成。我代表全體官兵感謝各位。」

袁毓真傻笑地說：「哈，林大將軍過獎啦，這是我應盡的義務。」眾人一片相互恭維與慶功。姜麗媛說：「我們一天都沒睡了，將軍們趕快安排住所，給我們這些女兵們休息吧！」林通貫趕緊點頭說：「是是是，袁副部長的人，應該要睡最好的上房。」大將軍對基層的女兵行禮，然後立刻派人安排了六間舒適的房間，讓六人睡覺。而機器人們就待在房門外，啓動休眠模式。

正當六人都睡得死沉沉時，總指揮部警報大作。

六人不約而同，被這響聲吵醒，一同整裝走到指揮室。袁毓真睡眼惺忪地看著錶問：「林將軍，才睡五小時怎麼又有情況啦？」林通貫說：「發現琉球上空有藍色機體的龍族兵器，率領著空中武力進攻中央艦隊，同時海岸上有大批的龍族機械部隊登陸，目前陸空都在交戰中。」

蔣婕妤附耳對袁毓真說：「我就說沒這麼簡單，你不感覺這種情況，很像我們在海底基地，還有迷宮一樣嗎？」袁毓真說：「該不會又中計了！不過這回龍族可不像上次，我們畢竟擊沉了牠們的戰艦！」

林通貫轉而神情嚴肅地說：「據宇宙軍估計，龍族大小戰艦，總共有三十五艘。還不包括天文望遠鏡，觀測到在地球外太空中，其他功能的飛船。才打掉一艘不算攻破牠們的主力！別高興太早啦！」袁毓真說：「林將軍，你變得也太快了吧。我睡覺前你還說，我打到了牠們的痛處。」

林通貫說：「不是我變得快，是戰局變得快！」話說到這，指揮室通訊螢幕猛響，全島各地的指揮軍官，拼命要求支援。林通貫沒時間理會袁毓真等人，忙得焦頭爛額。

姜麗媛問袁毓真：「袁大哥，現在我們該怎麼辦？」袁毓真小聲地，對其他五個女孩說：「我看戰況會非常激烈，此處也不見得安全，我們六人回去全副武裝，帶領機器人回到飛碟去。反正我們的任務已經完成，不必聽從他們指揮。」

眾人商議已定，遂全副武裝準備離開指揮室，然而外面戰火猛烈，眾人才離開了門口，就被激烈的戰鬥給嚇了回來，只好回指揮室的地下室去。

雖然指揮室發電機不受戰火影響，空調很強，但是空氣中仍然被緊張的氣氛弄得很沉悶。袁毓真打破沉悶地說：「真搞不懂我怎麼變成士兵，還不只一次上場廝殺，損失那麼多我小時候就熟悉的機器人……我看這回結束，還是回家休息，領秀士的死薪水比較好。」

姜麗媛踢了他的腳說：「跟我們在一起不好啊？你回家哪還有那麼多美女陪著你？」袁毓真呵呵一笑說：「妳們跟我一起回家不就好了？」蔣婕好半瞇眼，扁平嘴說：「難不成你還真的想當皇孫，有一群皇妃嗎？」袁毓真答道：「那就讓妳當皇太孫的妃子好了，其他都當宮女……呵呵。」所有女孩一時鼓譟了起來說：「想得美啦！」不過沉悶的氣氛，卻暫時打破。

聊了一個多小時，正當開心而放鬆戒備時，忽然一個男性士兵跑到地下室門口說：「副部長大人，快跑吧！怪物的機械兵打來啦！」眾人一時繃緊面孔，持起武器往外跑。袁毓真急問：「有多少機械兵？」士兵說：「不知道，總之快包圍這裡啦！」又問：「林將軍與王將軍呢？」回答說：「早就坐飛機逃走。要我們自己打到島的南邊，上船撤退。」姜麗媛說：「哼！官越大的，逃得越快。」袁毓真說：「別這樣說，至少我這副部長還在。我下令突圍回我們隱藏飛碟的地方去！」

眾人全副武裝，帶著機械人，衝到指揮室時，機械兵火力全開，把指揮室這棟建築物，打得破損一半，灰煙四散，弄得眾人灰頭土臉，眾官兵持槍衝殺出去。袁毓真也派機械人當前鋒，掩護眾女孩，跟著官兵往外突圍。

只見指揮室外的廣場，橫屍遍野，眾人在炮火中往樹林奔竄，邊走邊戰。龍族的蛇形與三腳立身機械兵，窮追不捨，光炮槍彈猛發。

袁毓真邊跑邊大喊：「大司徒、大司空，你們兩別跟著我們逃啊，快帶著小機器人去迎戰啊！」大司徒與大司空，是兩個一模一樣的機器人，大司空說：「抱歉，皇孫殿下，我們是操作兼修理型的機器人，不是戰鬥用的。現在我們也要逃命！」

袁毓真瞪大眼睛，眼鏡差點掉下來，大聲說：「什麼？有沒有搞錯啊？機器人也要逃命？」大司徒說：「我們跟大司馬大將軍不一樣，加入比較多的自我保護程式。無法拼死作戰，現在我們要各自逃生，皇孫殿下自己保重！」

於是三十多台機器人，就在樹林裡，抱頭鼠竄，作鳥獸散，小機器人們邊跑著邊喊：「是啊，快逃快逃……」袁毓真怒髮衝冠，握緊拳頭罵：「老頭子！這是什麼爛設計！怎麼會有機器人要逃命的？」

姜麗媛緊跟在後面，不時回頭射擊說：「現在講這些都沒用啦！快往樹林裏飛碟的方向突圍！」跟在六人身旁的還有數十名士兵，快速突圍，但龍族砲火猛烈，頓時被打得人仰馬翻，只剩十人。忽然龍族機械兵，火力暫歇。

天空中出現機體泛藍的戰鬥兵器，體積爲扁身花型器的二十倍，正是帛琉之戰中打垮五大艦隊的主力戰機『天帝』，開始大規模轟炸遠處部隊的殘餘抵抗。眾人趁著這空檔衝到兩架飛碟座機的停放地，發現已經有一台飛碟已經被擊毀，袁毓真帶領四名男性士兵與蔣婕妤等五女，進入所剩一架架完好的飛碟，好在這架飛碟正是紅二號，可以較好地保護眾人。便騰空而起，迅速脫離琉球戰場。

天帝察覺到這架飛碟，竟然追了過來，紅二號說：「這台戰鬥兵器是龍族最優秀的綜合兵器，不是我們能打贏的。」袁毓真說：「誰叫你打啊？快逃吧！」紅二號說：「就算逃速度也不夠快！」袁毓真閉眼大喊地說：「別管那麼多，能逃多遠算多遠啦！」

正當飛碟快被追上，天帝開始射擊，飛碟左避右閃，眾人膽顫心驚之時，天空中來了數百架支援的中國空軍，開始對天帝射擊。紅二號同時接通與賀嘉珍的電訊，眾人雀躍而喜。

賀嘉珍說：「我請求元首大人調派最精銳的空軍支援了，你們快點撤退回來。」蔣婕妤高興地說：「知道了，我們立刻回去。」

沒想到站在指揮塔的袁毓真，握緊拳頭說：「不行，紅二號飛碟還有戰鬥力，我們必須殺一個回馬槍！」所有女孩都很吃驚，蔣婕妤說：「從海底基地開始就發現你很膽小軟弱，怎麼今天危急的時候反而英勇？」袁毓真說：「當年漢光武帝劉秀，也是小戰恐懼而大陣英勇，昆陽之戰才大獲全勝。」

賀嘉珍說：「情況不同，現在純粹是科學技術與思維方式取勝的戰鬥，不能跟兩千多年前的戰爭，靠武勇衝殺來比較，況且之後的計畫還需要你參加。」

袁毓真回答說：「兩者還是有相同之處，對方忽然被轟掉一台戰艦，組織陣仗開始凌亂，純粹是靠單兵武器優勢支撐而已，只要我們接二連三組織反擊，龍族必然不會死咬著這一個小島。我們好不容易轟掉一台戰艦，但是最後卻以敗告終，逃回本據地，元首大人也不會再信任我們。往後的計畫會增加內部的變數。」

賀嘉珍聽了頗感驚訝，點頭說：「理解了，我繼續請求增派部隊，你們千萬要小心。」

於是飛碟跟著所有戰鬥機迴返作戰，戰鬥機纏鬥天帝，飛碟開始猛烈射擊地面上的龍族兵器。雖然天帝佔有絕對優勢，面臨母艦被擊毀，人類又接二連三死纏惡鬪，於是快速撤離戰場。

第四幕　自命英雄

元月二十二日，上午十點。

紅二號收到了地面大獲全勝，擊退敵人的通告，才落回琉球島的總指揮室外，眾人下了飛碟，進入指揮所內，發現林通貫等人又跑了回來，自行向元首大人報告請功。

元首大人來訊通告全體琉球將士，逐一褒美升遷。袁毓真本來以為自己必居首功，開始唸首功名單時，內心充滿期盼，結果名單一一唸過後袁毓真逐漸失望，當唸述二等功勳也沒有自己時，則由失望變成憤怒。最後只列三等功勳，與一般士兵同列：「……袁毓真……等三百五十人，對收復琉球有第三等英勇功勳……」而林通貫卻得到第一等英雄功勛，得封戰鬥英雄稱號。

袁毓真聽了頗有不滿，竟然當著部隊眾將軍的面，對蔣婕妤等女孩說：「什麼？才三等功！要不是我策畫的特攻作戰，你元首大人連龍族戰艦的皮都打不到！如此賞罰失當，誰還要替你效力？」眾官兵聽了都頗訝異，他於是氣沖沖地帶著蔣婕妤等五名女孩，上飛碟自行飛離琉球，飛碟上還怨言不斷。

姜麗媛笑著說：「好了，至少我們都知道這怎麼一回事，你袁大哥沒得到英雄功勛也沒什麼，發獎金兼升官而已。況且你之前不也當過英雄了嗎？」

蔣婕妤說：「是啊，英雄功勛又怎麼樣，我們可以把這次的作戰，自行製作網路社群報導，跟全國的觀眾講述你袁大哥怎麼神勇。之前元首不也說你是『救美英雄』嗎？雖然那種英雄稱號沒有實質名譽，但是也吸引了不少網路討論，相信你社群的觀眾是很多的。」

袁毓真右手握拳，用力打左手的掌心說：「啊！說的對啊！他不給我戰鬥英雄稱號，我可以自封英雄啊！況且還有華夏文明國皇太孫的實力，學我祖父自己找機器人一起做秀，炒作自己名聲，不需要仰人鼻息。」黃敏慧小聲地說：「這樣做會不會得罪元首大人啊？」

袁毓真笑著說：「是他賞賜不公平在前，不能怪我！雖然我也只要這副部長職位就夠了，不需要升官搶權力，但是也不能因爲這樣歪曲戰爭事實。況且之後龍族的作戰，還得依靠我與我爺爺的先進技術，他不敢拿我怎麼樣。我打算利用紅二號拍攝的作戰畫面，自拍一部『英雄大戰龍族』的宣傳影片，然後在網路上出售版權，妳們要不要一起參予拍攝呢？可以讓全國觀眾都知道喔！」五名女孩歡聲雀躍，股都鼓掌地說：「好啊！好啊！」

於是袁毓真帶著滿肚子怒火，開著小飛碟直接回到『華夏文明國』，帶著五女進入地下室，跟『皇爺爺』報告戰果，請求協助拍攝這場仗的過程，在網路上自行公告。老頭子大喜，當然是滿口答應，說：「不需要跟那個無道昏主領功，朕直接封自己的愛孫爲『天下兵馬大元帥』，領『九錫』，授『劍履上殿、入朝不趨、贊拜不名』之權，並且在網路告示天下。」

袁毓真傻笑地說：「呵呵，不用這麼誇張吧，只要協助我拍攝影片就好。」老頭子答道：「這你就不理解了，而今龍族大軍開始進攻地球，以目前世界檯面上領導人的慣性，遲早會被一一擊破。只有建立一個新的朝代，運用不同的思維與慣性，才能抵擋龍族的進攻。之後我們華夏文明國，要開始『開疆拓土』向外擴張，建立可以跟龍族作戰的基地與能力，這任務就交到元帥你身上了。朕可不能白白幫你拍攝影片的。」

袁毓真傻眼地說：「不會吧……開疆拓土？打哪裡？該不會要先攻佔浙江？這是叛國

也。」老頭子握緊拳頭，大聲怒罵道：「什麼叛國？朕就是華夏文明國的皇帝！況且現在要攻打的不是浙江，而是另外兩個地方，一個是你之前去過的帛琉島海底基地，另外一個也是你去過的宇宙戰艦。只要這兩個地方成爲朕的領地，那麼推翻元首那個昏君就有資本了。」袁毓真苦笑地說：「天啊！你老頭子別發瘋了！這兩個地方是龍族的地盤也！靠你那些會逃跑的機器人，哪可能打得贏？況且目前海底基地狀況不明，至於你說的那艘戰艦，已經往冥王星飛去，你開什麼東西去追？」

老頭子哈哈一笑，打開了地下室的監控螢幕，上頭顯現了李韻怡、廖香宜駕駛的戰艦外形，然後說：「之前給你帶去那艘戰艦的研究資料，裡面藏有迷你型的機器人，附著在那艘戰艦上面，上頭帶有我的追蹤器。根據我自己發射的小人造衛星探測傳來資料，這艘戰艦已經在你回來之後，就折返航行於地球軌道巡弋。它的行蹤在我的掌握當中。」原來老頭子這麼奸詐，連龍族都敢暗算。

袁毓真仍然搖頭地說：「靠你那些機器人，打不贏的啦。」老頭子怒道：「我敢這樣計畫代表我有絕對把握！你不去，那就別來找我幫忙拍攝。」一時氣氛凝重，蔣婕妤很希望能在影片中出風頭，拉著袁毓真說：「好啦，我們就一起去，現在戰艦上可能還只有兩條小母狗在看守，很容易把她們制服。但是萬歲爺可要答應我們，拿下那艘戰艦之後給就把飛碟給我們一人一台。」

老頭子呵呵一笑，說：「算得真準，我現在只剩五台，剛好每人一台，沒問題，我答應！

現在兵分兩路，我前往海底基地，你跟我的皇孫去攻佔那艘戰艦。」女孩們又歡呼了起來。袁毓真心思：（不是發瘋老頭，就是天真少女，我的命會被玩死……）說：「給我們的武器，可別像大司徒那樣，不然你真的會絕後。」

老頭子握拳狠狠地道：「之前那些只是『秦』級的初型機器人。現在除了給你三十架『漢』級戰鬥機器人，我還給你兩個最厲害的兵器！這也是我最近才製造出來的新型號機器人！即『唐』級擬人化機器人！看了你會嚇一跳！」於是按了鈴，地下室的房間出來兩女子。袁毓真等六人都同聲吃驚，這兩女子竟然就是趙仰德塑造的虛擬明星，雙胞胎姐妹「夢彤」與「夢蘿」。老頭子接著說：「我依照當紅女星的外表，製造了兩個最厲害的離子動力機器人，隨身配備強大的武器，幾乎於真人無異。這兩人就給大元帥你當作護衛了！」

姜麗媛走上前觸碰這兩個機器人，吃驚地說：「哇！外表皮膚與肌肉跟我們沒有兩樣也！」被觸碰者開口說：「妳好，我是夢彤，不只外表一模一樣，甚至還有血液。且大腦中的人工智能，也有說話與學習的功能。只有骨架內臟完全是機械裝甲，四肢還有配備各種新武器。」這聲音，竟然也如同真人一般自然。

袁毓真則觸碰了夢蘿，訝異地緩緩說：「沒想到趙仰德搞出來的虛擬騙局，老頭子你卻把虛擬做成真實的。」老頭子說：「因為朕是實實在在的人，閉關將近三十年的修練，可不是玩假的，本來表皮是製作夢與的外表，因為前陣子她被認定死亡，所以改換成夢彤夢蘿。拍完影片，休息幾天，在網路公告戰爭真相於大眾之後，我們就兵分兩路吧！」

第五幕　慶功宴

收復琉球之後，元首大人認爲龍族也不是那麼難對付，於是透過媒體對全國報捷，大擺慶功宴，以安民心士氣。

元月二十四日，由趙仰德出資，在首都新河洛的國家巨蛋大舞台，大擺歌舞慶功，在元首大人親臨之前，虛擬的歌星夢彤、夢蘿二人，穿著古漢朝仕女長服，經過細密地影音技術投射，在台上歌舞，巨蛋廣場上的人如痴如醉，超大的實況螢幕，也同時映照舞台上夢彤夢蘿的情境。底下的歌迷自己帶著腕錶型隨身電腦，銜接無線網路，同步下載大螢幕的歌舞狀態。

歌舞結束，虛擬的夢彤夢蘿兩人並肩站在一起，等待底下的人群們稍稍安靜下來，夢彤首先用輕快甜美的聲音發言道：「這一次我國軍大哥們，英勇地收復琉球島，擊落龍族的戰艦，打了人類頭一場勝仗。各位開不開心？」

「開心！」底下的觀眾頓時又亢奮了起來。背景音響也同時轟然一聲，以助聲勢。夢蘿接口，用更激情地口吻說：「首先是仰賴元首大人英明領導，再來是眾官兵英勇作戰，海軍大將軍林通貫沉著指揮，最後還有我們的趙仰德董事長，研究龍族的總負責人鼎力相助，才會有這次的勝利，對不對？」

底下的群眾嘩然之後，又同聲亢奮地回答：「對！」超過十萬人同時回答，真是喊聲震天。全國所有媒體，在轉播元首大人的談話，與琉球島戰鬥的剪接過程後，都聚焦於此盛大的慶功宴。

夢彤接著說：「等一下我們的主角們，林通貫大將軍，還有二十位被元首大人授爲第一等英雄功勛的戰士們，都將要來我們的現場與各位見面！在他們來現場之前，由我們姐妹二人替他們獻唱『英雄戰神』這首新歌，各位說好不好？」十萬人同一聲回答：「好！」現場的音響被群眾的聲音蓋過，可見場面之振奮。

於是舞台背景配樂響起，先是氣勢雄渾衝出鼓聲，震撼天地，接下來急急如雨的古筝搶攻上來，展現肅殺的氣氛，最後趕上緩衝蕭瑟的胡琴旋律，以啓動兩人的歌喉。夢彤首先用甜美高八度的歌喉開唱：「大風起，雲飛揚，國得猛士征四方，海波瀾，空迴盪，英雄戰神遠威洋。看我炎黃兵奮起，敵寇遁逃慌。」夢彤在唱的時候，舞台的背景螢幕，投射出這次琉球島大戰的修剪版影片，當然都是呈現擊毀龍族兵器的畫面，同時夢蘿遠離夢彤數公尺，隨著她唱的歌詞，翩翩起舞，長服隨著背景影音，呈現唯美無瑕的舞彩效果。

正當夢彤唱完這段詞，夢蘿接口唱歌，而夢彤轉而接替舞蹈。夢蘿接唱：「煙漫漫，心惶惶，龍族凌逼百姓殃，火陣陣，彈翔翔，三軍將士聲威壯。一戰琉球飛艦破，英雄氣更長。」夢彤的舞蹈，胡旋飛舞，輕快徜徉，比之夢蘿剛才慢條婉約，更加動感十足，挑動觀眾的情緒，身影重疊著背景的戰鬥畫面，全都激動落淚，如同自身也經歷過琉球大戰。

夢蘿唱完這段之後，兩人交錯飛舞，背景音樂也更加激昂。然後兩人同聲拉高語調一起唱：「兇焰高烈，考驗巨大，拋棄愛慕，承擔瘡傷，英雄戰神，鬪陣堂堂，勇戰異類，護我炎黃，保家衛國，百姓安祥。」底下觀眾除了激情，還爲之落淚。

與舞台等高的貴賓室當中，可透過玻璃窗台，觀看外頭的歌舞，俯視底下的群眾，貴賓室裡頭也有喇叭，可以聽到歌聲，也有專用的廁所，裡頭的裝飾也非常舒適豪華。賀嘉珍、楊恒萱兩人坐在其中一間貴賓室，沙發緊靠著玻璃窗台，桌上擺著飲料，兩人對坐，看著外頭歌舞。

賀嘉珍雖然聽袁毓真說過，夢與、夢彤、夢蘿這些趙氏集團養的歌星都是虛擬人，但是也不禁被舞台的影音情境，所感動落淚，說：「這兩個女孩，雖然聽說是虛擬人，但是歌舞真的好得沒話說，讓我這女流之輩都激起愛國情懷，想要跟著戰士們上戰場去。」楊恒萱呵呵一笑，舉杯喝了一口飲料，接著說：「可惜袁毓真今天沒有在場，不然他看了這種景觀，感觸一定最深刻。」

慶功場景示概略圖

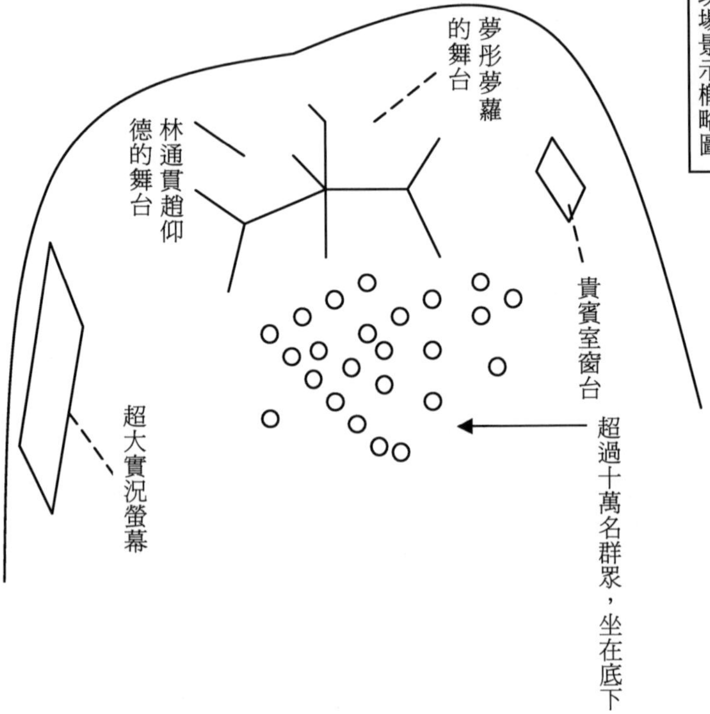
夢彤夢蘿的舞台
林通貫趙仰德的舞台
貴賓室窗台
超過十萬名群眾，坐在底下
超大實況螢幕

賀嘉珍擦乾感性的眼淚，會心一笑地說：「楊大哥說的對，當年漢光武帝劉秀小戰懼大戰勇，昆陽之戰大破王莽軍的主力，事後絕口不提自己的功勳。可惜袁毓真太嫩了，軍方都傳言他口出惡言，心懷怨望。我剛才聯絡他，他不肯接電話，不知道帶著那些丫頭們去哪裡了。」楊恒萱瞪大眼睛說：「現在緊迫的不是袁毓真的問題，而是當前的局勢……龍族怪物在世界各地都所向披靡，惟獨在我們這邊吃了虧，肯定不會這麼輕易罷手。依照之前我們給元首大人的計畫，應該趕快去跟龍族談判，並且開始組織新的科學慣性系統，每一次戰鬥都是一次追趕與茁壯，而不是開慶功來粉飾太平。元首大人對妳比較信任，希望妳快去建言。」賀嘉珍點頭說：「我明白你的意思，我們之前的建言，都是依照次易原理的演化理論所擬定的，尤其縱深的佈局，是我們能否抵擋龍族的關鍵。依照次易同義卦，時間跟空間同樣都是情境體，對付階意識而言，具有互通之義。我們這是利用空間為主的運行，去彌補人類跟龍族之間的演化時間差距，自身慣性的改變是最重要的基礎，實在不該把精神都花在這裡。我會擬定一個比之前更詳細的計畫，呈交給元首大人的。」

外頭夢彤夢蘿演唱完畢，安撫了慶功觀眾的情緒。

夢彤拿著麥克風說：「剛才這首歌獻唱完畢，讓我們掌聲歡迎，真正的主角們，二十位受第一等英雄功勛的戰鬥英雄！」於是全場一片掌聲，背景音樂轉變為歡樂的鑼鼓。

林通貫等二十人，胸前掛著獎章，在趙仰德的帶領之下走上了舞台。這舞台與夢彤夢蘿的舞台，有角度與玻璃牆的區隔，目的是怕真人與虛擬人站在一起，會被眼尖的觀眾給識破，所以採用這種佈局，而這舞台也可以同時在螢幕上投影出來，加強視覺效果。

趙仰德耳貼語音器，聲音傳達全場，接過了主持權，螢幕轉向於他的臉孔，等待掌聲停止，他說：「各位現在看到這二十位戰鬥英雄，就是琉球大捷的關鍵人物，他們的事蹟已經不用我再多講，這些都是我們中國人最優秀的精英，必當名垂千古。我們就讓他們一一來自我介紹，講述這場驚天動地的大戰。」

從林通貫開始，每人開始自我介紹，並簡單敘述自已在這場仗的貢獻，主要都是圍繞，龍族戰艦的墜落，都是因自已英勇作戰才打下來的。巨蛋廣場的後面餐廳，元首大人也大宴群臣官僚，酒過三巡菜過五味，元首大人離座如廁，才走出廁所，就遇到曾有能拿了一本隨身電腦，附耳對元首大人說：「不好啦，袁毓真今天沒有來參加慶功宴。」元首大人哼了一聲，甩頭繼續往前走，準備回餐廳，邊說：「這小子來不來很重要嗎？」曾有能跟上去說：「他不來不要緊，但是他在網路社群上面，自已開了一個慶功宴，講述了另外一種版本的琉球大戰。說自已才是琉球大戰的主角，批評政府的版本是錯誤的，引起不少網民討論。他發出不同於政府的聲音，假設他是普通百姓也就罷了，但是身爲副部長，也是政府官吏一員，這麼做恐怕引起輿論紛擾……」說到此，元首大人突然拉長語調「嗯？」了一聲，瞪大眼回頭看曾有能，然後說：「把他在網路說的版本給我看！」曾有能馬上打開準備好的隨身電腦，播放了事先下載的，袁毓真敘述琉球大戰的影片版本。

只見到裡面有不同的戰鬥畫面，都是紅二號拍攝下來的實況，然後闡述袁毓真帶領著蔣婕妤等五名少女，如何發動特攻作戰擊落龍族戰艦，也闡述林通貫在敵人攻擊的時候就逃跑，等打勝仗之後才回來邀功，最後影片中還出現老頭子，穿著龍袍以『皇帝』的身分大罵元首，認爲沒有『華夏文明國』的機械人部隊，元首的正規軍根本打不掉龍族戰艦！尤其老頭子在影片罵元首說：「賞罰失當，竊據功勞，誆騙百姓，壓制賢才，偏袒小人，如此昏聵無能還兼無恥的元首，實在是國家的恥辱，將會讓國家淪亡」，中國人民應該同聲譴責，把他轟下台！並將其名字刻在歷史的恥辱柱上！」罵完之後還說，華夏文明國將要代替所有炎黃子孫，發動對龍族的聖戰，打幾場大勝仗，以正視聽。

元首大人氣得把電腦抓起來扔在地上，大罵：「這祖孫兩人造反啦！立刻叫袁毓真來見我！」曾有能雖被嚇了一跳，但是讒言挑撥的目的得逞，迅速緩過神說：「自從琉球之戰後，自行乘坐飛碟離開，就已經聯絡不上了，他又是副部長官員，沒有犯什麼罪，也不能通緝。」這句話在暗示，要辦他，那就趕快把他的副部長職務革去。元首大人握緊拳頭，狠狠地喊道：「我知道了，你下去吧，我一定要把他逮回來！」曾有能點頭稱是後離去。

元首大人面色鐵青回座，眾官員發現他上廁所回來後就失去笑容，於是酒宴也突然變得比較安靜。元首大人把特勤廠廠長找來，輕聲附耳對他說：「立刻派『影易特務組』，把袁毓真逮到我面前來。」特勤廠廠長問：「要活的還是死的？」元首大人說：「笨蛋，要你逮來，當然是活的！」特勤廠長點頭稱是，於是快步離席。

眾官員看到元首大人面色鐵青，密語特務頭子，頗是吃驚惶恐。通常特勤廠廠長在群僚宴會上，也沒有任何一個官員敢跟他多交談，頂多點頭握手，就把他冷落在一旁，突然元首大人約談他，自然是有事情發生，大家都停杯放筷，不敢多說話。元首大人看到氣氛凝重，會破壞慶功宴的歡樂，趕緊轉變神情露出笑容，主動舉杯敬酒說：「沒事，沒事，只是讓他去幫我辦點小事情，我們大家繼續慶功，繼續開心，哈哈哈！」眾官員才釋懷，舉杯動筷，繼續慶功宴。

老頭子與袁毓真真的能攻陷龍族的海底基地與戰艦嗎？賀嘉珍與楊恒萱的戰略計畫真的能奏效嗎？元首大人準備動用的『影易特務組』又是什麼組織？袁毓真又真的會被他們逮到嗎？欲知後事如何，且待下象分解。

第十三象　九宮幻方太空行動遭逆困
八象惡戰次易原理破難題

第一幕　九宮幻方

啓易三年元月二十九日。

話說袁毓真、蔣婕妤、黃敏慧、何佩芸、歐陽玉珍、姜麗媛、與離子動力機械人夢彤、夢蘿，共同乘坐紅二號，另外有三十台戰鬥機器人，分乘另外四架飛碟隨之，前往李韻怡、廖香宜駕駛的戰艦衝去。

袁毓真站在指揮塔前，對眾人說：「沒想到又要去找那艘戰艦，希望這一次別被瘋老頭害死。還有，我們先別動武，去跟那兩個妹妹，好好說清楚這一次的來意。」姜麗媛半瞇眼，低沉沉地說：「我看你最開心了，馬上又要見到你心愛的紅妹妹！」袁毓真傻笑了一下說：「你又調侃我啦，我說過我喜歡的妹妹是妳們幾個。」黃敏慧呵呵一笑說：「我們幾個？我看這一次任務結束，我們還是各自回家，別讓這小子利用機會徒生幻想。」

蔣婕妤拿起背包說：「是啊，我們的副部長大人還是早點結婚，給老婆看緊了，免得當花心大蘿蔔。」說罷進飛碟的浴室去洗澡。袁毓真聽了頗是失落。

歐陽玉珍問：「倒是奇怪，明明她們開的戰艦已經往冥王星離去，怎麼又會折返回地球軌道？」何佩芸說：「還不簡單，我看她們說謊哩。」

袁毓真說：「何妹妹之前沒有跟著我們上戰艦，那種情境不像是說謊。這種狀況只有兩種可能。第一，就是老頭子的偵測器壞了，小人造衛星發現一艘一模一樣的戰艦在地球外軌道，就以爲是我們之前登的那一艘。第二，就是龍族內部發生了變化，有戰略調整，我認爲第二種可能性最大。」姜麗媛說：「假設是第一種可能，那代表戰艦上有龍族，我們硬碰硬等於以卵擊石。」

紅二號答腔說：「要判斷哪一種可能性，等一下出了外太空，主動發訊號求證便是。」袁毓真說：「沒錯。要是龍族的其他同型號戰艦，我們馬上就撤退！千萬不能夠靠近！不然還沒靠近就會被擊落。」

五架飛碟飛出了外太空，紅二號通訊結果，這果然是李韻怡與廖香宜的戰艦，但是李韻怡只不斷通訊說別靠近，卻也沒有說任何理由。

姜麗媛說：「我認爲別管她的要求，讓其他四架飛碟做掩護，硬闖過去要求進入戰艦。

我猜副部長的紅妹妹，不會忍心把我們擊落的。」歐陽玉珍說：「說的沒錯，副部長大人還是硬闖過去吧！」

果然五架飛碟靠近戰艦，戰艦並沒有開火，讓飛碟穿過膠質壁，依次停落在戰艦隔離艙內。蔣婕妤身著白底右襟漢式衣褲，繡有淺黃花飾，長辮過肩，腰繫綢帶，掛配十數枚手槍彈匣，左右手各有一把手槍，背有背包。姜麗媛身著緊身淺紫西式女裝衣褲，頭髮纏繞垂髻於面，左肩扛著火箭筒，右手持著衝鋒槍。黃敏慧短袖藍襯衫藍長褲，束捲長髮入髮簪，手端自動步槍，腰掛數枚彈匣。何佩芸全身穿大紅色，漢式右襟服，窄短裙過膝蓋，左大腿處短裙略有分岔，顯露長白秀腿，髮置雙髻丫頭，前額流海，背著沉重的醫務箱，臉頰旁貼著語音通訊，可與紅二號隨時連絡。歐陽玉珍，身著改製女性清旗裝，衣褲緊貼，腰束長帶垂於腿，長髮飄逸，手持一把遠距離狙擊槍，腰間掛有彈匣。袁毓真則束髮眼鏡，漢式男裝，手持隨身電腦，臉頰也套有通訊語音器。「夢彤」、「夢蘿」兩個雙胞胎離子機器人，一綠一黃漢式女裝長褲，垂髻盤髮，不配備任何武器，因爲其四肢本身就是全方位的武器。六人全副武裝，由兩個離子動力機器人，三十台各式戰鬥機器人爲前導，下了飛碟到了隔離艙內，嚴然一支太空突擊軍團。

正當穿過了一條走道，來到一間艙隔，眾人準備探索老頭子的間諜機械人，所傳給的戰艦結構圖而尋路出發時，艙內高台上出現了李韻怡的身影，仍然是原有的衣飾妝扮，兩手食指也戴有海底基地時相同的金屬指套。李韻怡開口說：「真沒想到我們那麼快又見面了。」眾人目光同時仰望高台。

蔣婕妤微笑著說：「沒辦法，誰叫我們的袁大哥，跟妳這麼有緣分呢。」

李韻怡語氣全然沒有鬥氣，緩緩地問：「我不是告訴妳們別來這裡嗎？這麼大陣仗強制闖入要做什麼？」總不能按照老頭子說的『開疆拓土』來回答，眾人頗爲尷尬，一時都回答不上來。

袁毓真傻笑著說：「沒有啦，因爲我們發現妳們的戰艦沒有遠離，其實我們是想找妳談談。關於……關於我們可以住在戰艦的事情……呵呵。」

李韻怡說：「看妳們這身配備，我大概也知道來意。並不是我不答應，而是龍族主人轉變了行動方案。我不能讓妳們佔領這艘戰艦。」

蔣婕妤握緊雙槍說：「龍族與人類處於戰爭狀態，那我們可能要用點強硬手段了。」

正當所有人都緊繃之時，袁毓真大喊：「都等一下！誰都不許動！」然後走上前兩步說：「紅妹妹誤會了，我們這些配備只是自我保護，並不是要來搶這艘船，我們只是來談談相互協助的問題，假設妳不同意的話，我們立刻離開這裡。」李韻怡面色冷淡地說：「妳們也誤會我了，我並沒有不同意，而是主人已經在這艘船上面。」這艘船上竟然又有龍族，眾人聽聞都是一驚。

袁毓真低頭狠狠地罵說：「那個瘋老頭子！把我們送上這裡找死啊！」趕緊又抬頭說：「好吧，紅妹妹，我們就不打擾了，立刻離開這裡。」蔣婕妤拉著他說：「喂！大老遠白跑這一趟喔？誰知道她說的是真是假。」袁毓真瞪大眼睛說：「就算是假的，也代表人家不歡迎我們來，總不能真的開戰吧？畢竟經過上次，大家都已經是朋友了，就別理老頭子發瘋啦！」

忽然高台又傳來聲音，明顯是翻譯器的一字一句，眾人一抬頭，發現竟然是一隻龍族，頭上有烙痕，正是之前龍族談判的代表「邦邦」。透過翻譯器傳聲道：「妳們想要離開？我倒有更好的意見，那就是當我的奴隸在這艘船上工作，也可以滿足一部份，妳們闖來此處的目的。」眾人不禁槍砲武裝，戒備了起來。

袁毓真急忙阻止大家，然後對邦邦說：「我們開玩笑的，有話好商量嘛！不如大家都放棄武裝，坐下來談談。」邦邦不理會袁毓真說什麼，轉而對李韻怡說：「開始捕人行動。」李韻怡點頭道：「是，主人。」

語畢，忽然艙內活性纖維牆壁開始變色，而邦邦竟然消失了，李韻怡兩食指金屬套指尖，相觸於峰胸前處，同時兩大拇指指尖也協同相觸，另外三手指的第二個關節也相觸，兩手合成一個手勢。閉上雙眼，像是在祈禱什麼咒語，低沉沉地唸唸有詞道：「感官解契，扭曲之心，九宮幻方，八象迷離。」說罷兩食指接觸點發出光芒，擴散到李韻怡全身都發出淡淡紅光。

大家發覺不對勁，黃敏慧首先提起步槍瞄準她，袁毓真一手壓下她的槍說：「誰都不要先開槍，都退後，讓機器人擋在我們前面！」

紅光漸強，忽然乍閃，眾人睜不開眼，包括機器人在內都發生短暫當機，等大家都恢復之後，艙隔從橢圓體變成了正四方體，高台還有李韻怡都消失了。

眾人一片驚慌，蔣婕妤大喊：「怎麼回事？怎會突然換了房間？」袁毓真轉而對夢彤夢蘿說：「妳們兩個，有沒有看出這怎麼一回事？」夢彤說：「剛才閃光之際，我們大腦中的中央處理器，也都短暫當機，無法辨識發生什麼事情。」夢蘿說：「大家小心，這正四方體時間與空間分佈不常態。」

袁毓真大喊：「這什麼意思？」姜麗媛距離袁毓真才三步之遙，伸出手錶給他看說：「袁大哥你看！」姜麗媛手錶跑動得很快，何佩芸也伸出手錶，大喊說：「我的手錶沒有在動！」大家對比了各自的手錶，跑得都不一樣快。正當驚訝時，袁毓真發現每一個人頂多距離兩三步，所有動作與說話速度，都變得不一致了，相互根本無法協調，到最後對方說什麼都聽不懂。

忽然之間四方體巨大艙隔，出現了五隻蛇形兵器，如海底基地見到的一般。開始相互協調對眾人發動攻擊，三十台機器人率先起而迎戰，但是機器人速度與時間都不相協調，袁毓真大喊：「大家快退後！讓機器人先戰鬥。」在蔣婕妤、黃敏慧、何佩芸三人聽到，這聲音非常地緩慢，有些聽不太明，在歐陽玉珍、姜麗媛、夢彤、夢蘿四人看來，速度非常快，也聽不太清。但還看得到袁毓真往後退走，大家以不同的速度，往相同的房門角落奔去。

本來三十台戰鬥機器人，頗有強大的戰力，但蛇形兵器似乎能夠協調這種不同速度，所以火力雖弱，數量雖少，卻佔有很大優勢，機器人軍團逐漸被打得七零八落。眾人推擠在艙隔一角落，閃躲炮火流彈，蔣婕妤觸碰到堅硬的牆壁，忽然開啓了一扇門。袁毓真大喊：「情勢不妙，快往裡面逃。」

八人先後從這扇門，進入另外一個正四方體，而門迅速封閉，再也打不開了，機器人軍團當然想必全軍覆沒。

大家喘息已定，面面相覷，袁毓真說：「剛才的情況太詭異了，同一個空間中，竟然會時間不一樣，會不會這就是時空相對論的運用？」蔣婕妤說：「恐怕不是，愛因斯坦的相對論，必須建立在，不同的慣性運動，或不同的重力場範圍內。而這是在同一個慣性運動，與同一個重力場情境，卻塑造不同的速度感官。這反倒讓我想到，次易原理的『統制』時空觀念。時間與空間，都是等價的情境體，相互的關係可以在改變部分的存在慣性下，去重新塑造關連性。假設我們剛才沒有逃跑，那麼時空混亂的狀況將會越來越嚴重，直到……」說到這裡已經想像不下去。離子動力機器人夢彤說：「沒錯，倘若時空繼續混亂下去，我們的存在慣性都會重新被分佈，直到消失爲止，甚至可以解離到連基本元素都不存在。」

袁毓真喘口氣說：「這會不會就是剛才李韻怡……口中唸唸有詞的『九宮幻方』？會不會都是幻覺？」夢蘿說：「當然不是！我跟夢彤是機器人，沒有人類的幻覺，這一切都是真實的情境分布。這很可能是龍族的時空理論，所建立出來的防禦體系。剛才牠們在這空間中的兵器，必然有連通四方體內的時空變化參數，而我們卻沒有，所以相互的協調必然陷入混亂而被逐一擊破。我認爲在這種不利的情況下，我們的勝算機率爲零。」

第二幕　時間暗門

姜麗媛扛起火箭筒，對準四方體對面，而後說：「乾脆把這牆壁給轟掉，我看這些龍族怪物還能玩什麼把戲！」袁毓真說：「喂！別忘記我們在太空船上面，萬一這牆壁外面就是外太空，我們豈不是都會被捲到外太空去？」

夢彤說：「依照剛才進入戰艦後的移動空間流程，計算那道牆，會影響最外層艙壁的機率，爲百分之一而已。可以建議妳開火。」

姜麗媛剛才也被嚇到了，急著想要找出路，二話不說，立刻發射。飛出一顆火箭彈，擊中遠放的牆壁『轟』了一聲，牆壁倒塌了，看到另外一間四方體房間，眾人一走向前去，這四方體房間跟原來的一模一樣。袁毓真說：「夢彤，計算一下現在哪一個方向可以開火。」夢彤腦中中央處理器迅速計算，回答：「左手邊是艦體中央位置，往這裡開火。」於是眾人閃避，火箭彈又開火轟倒這座牆，眾人奔向前去，還是一模一樣的房間，如此反覆者三。夢彤說：「不對勁，我感應系統外的時間表軸全部脫節，非常地緩慢移動，妳們看一下自己的錶。剛才每突破一個房間，時間就更加地延遲，空間的延展就更大，這種房間必然是無止境的。」眾人對錶都大驚失色，讀秒確實非常地緩慢，推估大約超過五秒鐘才走一格。

袁毓真歪了嘴說：「糟糕這是時間遲滯而空間延展……倘若在這樣下去，我們的時間將會完全停止，最後與外界的時間完全脫節。」何佩芸說：「看我們之前的說話與行動，沒感覺有不同啊。」夢蘿說：「我們的時間當然都同步，這是切割我們跟外界的時間同步性，而我們的時鐘手錶，與感官的時間軸脫節了。」

蔣婕妤說：「不如往天花板，或是地板開火好了！」夢蘿說：「時間遲滯，空間的影響就不分任何方向性，往什麼方向打都是一樣的。」蔣婕妤嘟著嘴道：「那怎麼辦？總不能永遠呆在這裡吧？」

夢彤夢蘿同時發聲說：「剛才是時間切割空間統一，現在是空間切割而時間統一，這是變易體的運轉問題，我們主程式大多是戰鬥系統，這方面的思維編程不夠詳盡。恐怕要『皇孫殿下』與蔣姐姐，協助思考該怎麼辦。」沉靜了片刻。

蔣婕妤皺著眉頭，對所有人說：「不然大家試看看剛才的辦法，看有沒有什麼暗門可以過去。」這也是沒有辦法中的辦法，眾人遂散開，每一間房逐步回頭搜索。不知道過了多少『時間』，仍然沒有進展，袁毓真搜索中，忽然閃過一個念頭，於是對眾女子說：「剛才混戰的時候，時間切割空間統一，可以在空間中找到一個暗門，現在空間切割而時間統一，必然是在一個時間當中找到暗門。我們這樣找，必然沒有結果。」姜麗媛無法理解這種艱難的問題，傻眼地問：「時間暗門怎麼找啊？」袁毓真回答：「依照次易原理兩化卦，我們的存在是依順一個形上體制，也違逆另外一個形上體制，一正一反才會凝聚這個『存在』的本據。而時間與空間都是『忖階意識』解釋變化的方式，也就是屬於降冪後情境體的形上規制。一個是開放彰顯的情境體，一個是封閉潛伏的情境體。我們的生存慣性，不可能超越這一層次，而把時間彰顯開來運作。」眾女子都頗是失落。

蔣婕妤說：「聽我以前考核法士的老師說，只要是被設計出來的東西，沒有不可能被破壞的，只是我們有沒有關鍵物而已！所謂時間暗門……一定存在，會不會就在，我們時間感覺，與手錶時間顯示不同的這個落差中？」

袁毓真如夢初醒道：「是啊……時間是解釋變化的一種方式，我們的感官或稱之爲生理時鐘，不見得必然與所有外界物質因素同步。那麼這種狀況就是，我們所有人，包括機器人中央處理器的時間辨識，與外界系統產生落差。而且剛好與相對論的方向相反。」

於是拿出感應筆，在隨身電腦上面的感應螢幕上，畫出自己的概想圖，眾女子都圍了過來。

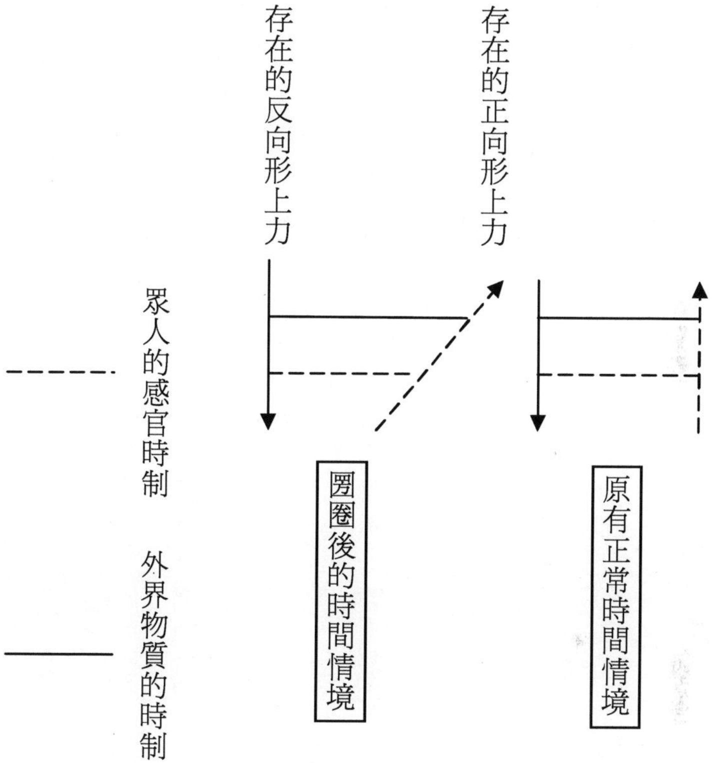
存在的反向形上力
存在的正向形上力
眾人的感官時制
外界物質的時制
圐圈後的時間情境
原有正常時間情境

然後接著說：「次易原理各卦，所組成屬著統制篇的概想，時空都是等價相映的情境意義。對於忖階意識來說，時空的形上意義，其架構必然附著於存在本質的骨幹內，編織出相互支撐的維體，才能架構出來。倘若有某種方式，改變了正向與反向力量區間，那麼時制調整回來，空間也就恢復我們認定的正常，不會陷於無窮循環的體系當中。」

姜麗媛板起面孔說：「不必跟我們畫這些理論，我們聽不懂。告訴我們該怎麼做。」這反而讓袁毓真傻了一下，畢竟知道什麼原因，只是解題的開始，要轉換成行動，還有一段距離。夢彤說：「情況若真如皇孫殿下的所言，那麼龍族怪物的這種設計，只運用到部份的變化法則，那麼用一股強光強能的破壞，就可以找到時間的暗門。因爲光本身的變化與物質體變化相反，是時間開放而空間封閉，可以自由於時間的自擇體系。只要衝擊到該處，那麼時間暗門就打開了。」

黃敏慧說：「我們這只有槍枝，最多火箭彈，沒有強光強能的武器啊。」

夢彤說：「我與夢羅的體內，各自有三顆氫核電池，只要拿一顆出來，破壞其中一顆裡面的穩定器，就可以產生巨大光束的爆炸。」何佩芸問：「會不炸到我們啊？」夢蘿說：「這裡那麼多大房間，可以說無窮延伸，我會把它扔到原先的出發點。」袁毓真問：「少了一顆電池，妳的功能會不會受損？」夢蘿說：「一顆電池，可以維持我們身體一甲子的壽命，少了一顆我還可以活動一百二十年。」

說罷，夢蘿的纖纖細手，伸出食指，皮肉化液退去，變成了十字起，另一隻手解下漢式開襟上衣，胸部皮肉也自動化液，露出了金屬裝甲板，自我拆解下裝甲板面，抽出一顆橢圓體的電池，交給了夢彤。夢彤拿了就快速奔跑到其他四方體房間，她的食指通電破壞了當中的穩定器，扔出去後，又迅速回來喊道：「威力很大，全部都趴下！」眾人全都在趴在地上，如躲砲擊。轟然一聲，強光四射，房間又縮回一個完整的四方體。

眾人爬起看看四周，姜麗媛說：「沒有改變啊！」蔣婕妤首先看到房間頂上纖維牆壁展開了一個洞，喊說：「已經改變了！你們快看頂上！」

第三幕　物質面象

一行人抬頭往上看，掉下來一隻三角立身怪，這種機型袁毓真以前見過，並不以爲意，說道：「不必怕，這只是龍族的通訊用機種，戰鬥力不怎麼樣！」話才剛說完，這隻兵器竟然開始轉變外型，變成了數公尺高的鐵甲獸，並發出陣陣尖嘯。

袁毓真大叫道：「天啊，這又是什麼時空規制！」

蔣婕妤兩支手槍對準怪物，喊道：「沒時間討論啦！大家開槍！」說罷，黃敏慧的自動步槍、歐陽玉珍的狙擊槍、姜麗媛的火箭筒也都同時開火，鐵甲獸也立刻開火還擊。袁毓真喊道：「夢彤夢蘿，妳們也快幫忙。」兩女子右手都變型成一個金屬鋼架，中間集能藍光，發射出粒子砲，兩砲同發，轟然一聲，鐵甲獸頓時四分五裂。

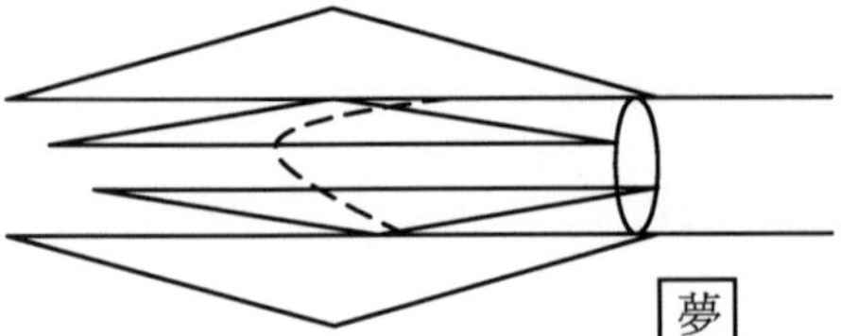

夢同、夢羅右手離子砲

正當袁毓真以爲打勝之時，蹲下射擊的黃敏慧與姜麗媛，忽然同時倒地，其他人才發現不對勁，兩人胸口都已經中彈溢血，蔣婕妤尖叫了一聲，大喊：「佩芸！快去救她們。」何佩芸翻出急救箱，其他人也七手八腳來幫忙。

袁毓真蹲在地上拿著繃帶滿手是血，看著兩女子傷勢嚴重，喘氣急速，全身顫抖，急著回頭對夢彤夢蘿說：「快拿出辦法來啊！」夢蘿上前去，眼球發出光束掃描，分析受傷情況說：「打中要害，兩人的大動脈都已經破損，現有的醫療器材不足以縫合，已經沒救了。」袁毓真按著姜麗媛的傷口血流如注，大吼了一聲「不！」。眾人竭盡所能，兩女子已然斷氣。

四人坐在地上，先是呆滯了一會兒，接著都痛哭流涕。袁毓真拿起了姜麗媛的衝鋒槍，對著天花板猛烈掃射，大喊：「臭怪物！快滾出來！」夢蘿衝上前去，把袁毓真的衝鋒槍搶下來，並一隻手把他也壓在地上，袁毓真喊道：「幹什麼？」

夢蘿說：「對於你們這種生物體來說，發怒容易喪失理智，不利於解決現在的難題。況且她們兩人也不是真的死亡。」袁毓真急問：「這什麼意思？」夢蘿掃描出他的表情，知道情勢已經控制，於是鬆手讓他站起。

夢彤走上前，撿起了被擊碎的鐵甲怪物，身上的一個零件，緩緩道：「這物質景象並不是『真實狀態』。」真實狀態四字，夢彤聲音系統加重了語調。

蔣婕妤擦拭了眼淚問：「是幻覺嗎？能不能說得更明白些？」

夢彤把零件丟在地上說：「與幻覺的意義不同，應該說是幻方。妳跟皇蓀殿下不也讀過次易原理嗎？知道虛逝卦的意義吧？」兩人被這一提醒，同時一怔。袁毓真說：「虛逝卦算是因果律的倒辯，只是理論上的預想，不可能拿來實用的！」蔣婕妤也附和說：「是啊，妳倒是要說清楚，麗媛、敏慧怎麼不是真的死了？」

夢彤說：「你們兩人讀次易原理只看文字表象，沒有從當中文意結構，探索清楚作者的思維方式。我們陷入一種所謂的原因與結果的表象，這只是物質狀態的自擇與慣性共同的組合體。實際上一切無窮的可能性，其實都已經存在，存在的本身，優於自擇與慣性結合的狀態。倘若我們無條件接受這個組合，把這個結果當成下一個時間自擇的依據，那麼這組合體就會被『存在』所接受，而這個『果』就成爲下一個型態的『因』。也就是因果之辨，實際上是要有相互反置，才會成立的。換句話說，我們假設把兩人死亡的狀況當作『真正的果』，停滯了自擇，相映的物質慣性也就停滯，那麼這種結果就不會被『存在』所接受，若歸元原有的時空體系，就可以重新組合另外一種因果路徑，這就是虛逝體的選擇。」

夢蘿接口說：「我們剛才分析了怪物變身的全體過程，當中違反了物質轉變的原理。所以我與夢彤不約而同，同時啓動皇帝陛下賦予的次易思維編程，這方面，陛下雖然給得不夠多，所幸還可以計算出這種結果。」

袁毓真傻笑著說：「你們剛才還說，自己只會戰鬥，不懂學術思考，現在竟然思考得比我們還深入！那告訴我們該怎麼做，才能讓兩人復活？」

夢蘿說：「我們剛才又哭又憤怒，已經把這種結果，當做真實狀態的原因而產生自擇了，即便時間再怎麼短暫，也不能將之當作『真正的果』而挽回，所以在龍族怪物設定的這個時空內，不可能讓兩人復活。龍族怪物也只是物種之一，不是神，只能在極有限的條件之下，才能運轉這種『虛逝體』的運行。所以只要破壞這些條件，就可以歸元原所有的物質秩序，但若是我們都被消滅，那就不能想像會有什麼結果，也許就全部由龍族怪物宰割了。」說罷，她的右手又開始轉制成離子砲座，瞄準天花板又開啓的洞口，眾人因而全都持槍戒備，洞口掉出了三架立身怪，夢蘿轟出一砲打爛一台。另外兩台落地之後，又迅速轉變成巨大的鐵甲獸，但是跟剛才的型製都不相同，似乎有更強的裝甲及戰鬥力。

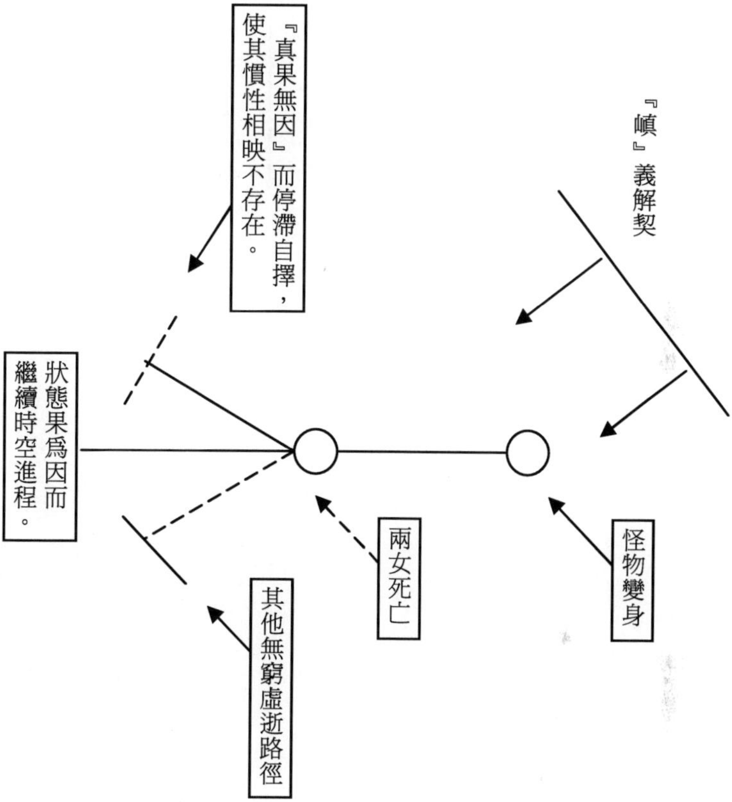
『嵮』義解契
『真果無因』而停滯自擇，使其慣性相映不存在。
狀態果為因而繼續時空進程。
怪物變身
兩女死亡
其他無窮虛逝路徑

袁毓真拿回衝鋒槍朝怪獸亂射，何佩芸拿起了火箭筒同時開火，蔣婕妤雙槍、夢彤夢蘿各用離子砲。一場混戰這些裝甲獸似乎沒有影響，又開火擊斃了蔣婕妤。歐陽玉珍見狀不好，迅速翻身躲避了砲火，用狙擊槍瞄準了裝甲獸的頭部發光處，扣下板機正中目標，該裝甲獸頭部爆裂而倒地。歐陽玉珍喊道：「弱點在頭部！」機器人的離子砲雖然威力大，但是集能運轉緩慢。夢彤於是迅速轉制回手的形狀，撿起蔣婕妤落地的手槍，繞著怪物朝其頭部猛烈開火。怪物射出的小菱形流彈，也把夢彤夢蘿軀體打得傷痕累累。又一場激戰，才終於扳倒這隻怪物。

變形裝甲獸概略圖

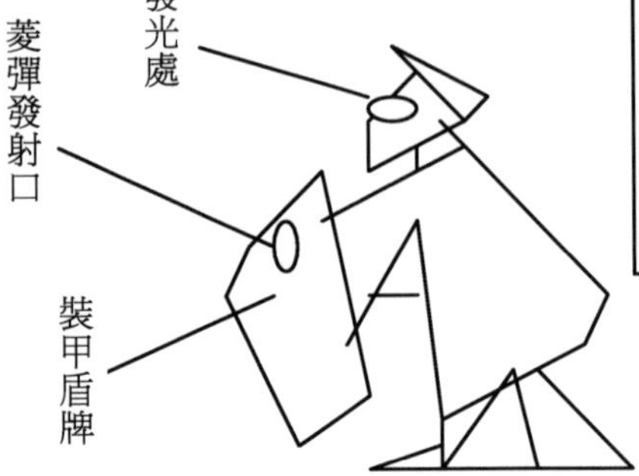

夢蘿啓動離子砲，往頭頂發射，爆炸發出巨響一聲，天花板轟出了一個大洞，露出了一大堆光纖板狀的儀器。夢蘿說：「這就是怪物製造『虛逝路徑』的儀器，把它轟爛就能歸元了。」於是又發出一砲，再一聲巨響，頂上大火熊熊濃煙四起，袁毓真、何佩芸、歐陽玉珍抱在一起，輪流使用醫療箱內的氧氣罩。

而後忽感一陣全身痲痺昏沉，清醒之時蔣婕妤、黃敏慧與姜麗媛三人，都活了過來，而地上被擊毀的四隻三角立身怪也都完好，只是像停電一樣呆在地上不動，頂上的光纖板坍了一大半，還不時因短路冒出火光。而四面房間前面出現一道門，似乎是要讓眾人進去。

袁毓真摟住姜麗媛，何佩芸抱住蔣婕妤、歐陽玉珍拉著黃敏慧，一陣歡呼鼓舞。你一言我一語「妳們真的沒死，太好啦。」「妳們剛才嚇死我們了。」「剛才什麼感覺啊？」「只是感覺一陣痛楚就失去知覺了。」

夢蘿臉上竟然也能露出微笑，歪了頭說：「皇蓀殿下，我跟夢彤說的沒錯吧，不過別高興太早，我估算『九宮幻方，八象迷離』至少有八個難關，我們現在才過了三個。」聽她這麼一說，眾人才由歡欣之情，緩緩冷靜下來，各自撿起武器跟著夢彤夢蘿，一同走近那一扇自動開啓的門。

第四幕　假性歸中

正當眾人要入門之時，蔣婕妤看了看頂上塌陷的光板，忽然靈機一動說：「先別進去！免得又掉進另外一個陷阱！我看這壞掉的天花板，應該是狐狸尾巴。朝這個地方進攻，可能就是能破壞全局之處。」袁毓真扶起眼鏡說：「是啊！我也有這種感覺。夢彤，能不能幫我們試探一下。」

夢彤點頭說：「當然，這是我的職責。」於是夢彤爬上了夢蘿的身軀，站在她的肩膀上，用力往上一蹬，抓住破損的纖維束，往洞內攀爬進去。兩機器人中央處理器，相互無線連通。

等了數分鐘，夢羅說：「不好！夢彤當機不能動彈了！」

袁毓真問：「她看到了什麼？」夢蘿答道：「看到了剛才穿紅衣的女孩，全身纏繞著發紅光的發光纖維，但是夢彤往前才走一步，馬上就當機，內建時鐘全部停止，螢幕一切黑暗。」蔣婕妤說：「那代表找到李韻怡了，會不會是戰鬥中受損造成的當機？」夢蘿答道：「不可能，剛才我們只有損傷外層的人造皮膚，這會自動慢慢復原的，核心部份沒有受損。而且我們內建的計時器，都是原子鐘，不會受到當機影響。這代表夢彤的中央處理器，掉入了時間的停滯區當中。」

袁毓真問：「這跟剛才的狀況是不是一樣？我們該不該跟著上去？」夢蘿搖頭說：「狀況完全不同，這有點像掉入重力強大的黑洞一樣。我們看她的時間是完全停止的，她看我們則是無窮大地迅速前進。而我們若跟著進去，那就徹底被怪物俘虜了。」蔣婕妤瞇了幾下眼睛，問：「這怎麼解釋？」

夢蘿說：「依照我的思維編程計算，這『九宮幻方』必然是運用虛擬無窮力，才能製造出來。而九宮中央必然就是虛擬無窮力的根源所在，連結周邊的實態，兩者必定是相互支援互通，才架構整體的循環運行。我們倘若放棄後面的幾個關卡，就此進入到中央核心去，那麼系統一定『反向變卦』，附屬的關卡就會變成中央核心，中央核心變成附屬的關卡，我們就永遠都沒有破解整體系統的機會了。」然後轉面對袁毓真說：「你把手上的電腦借我，我顯示給妳們看！」

夢蘿右手拿了電腦，左手食指轉制變成一條連接端子，插入電腦的接孔，電腦螢幕上顯示了夢蘿中央處理器，計算的九宮幻方處理訊息。

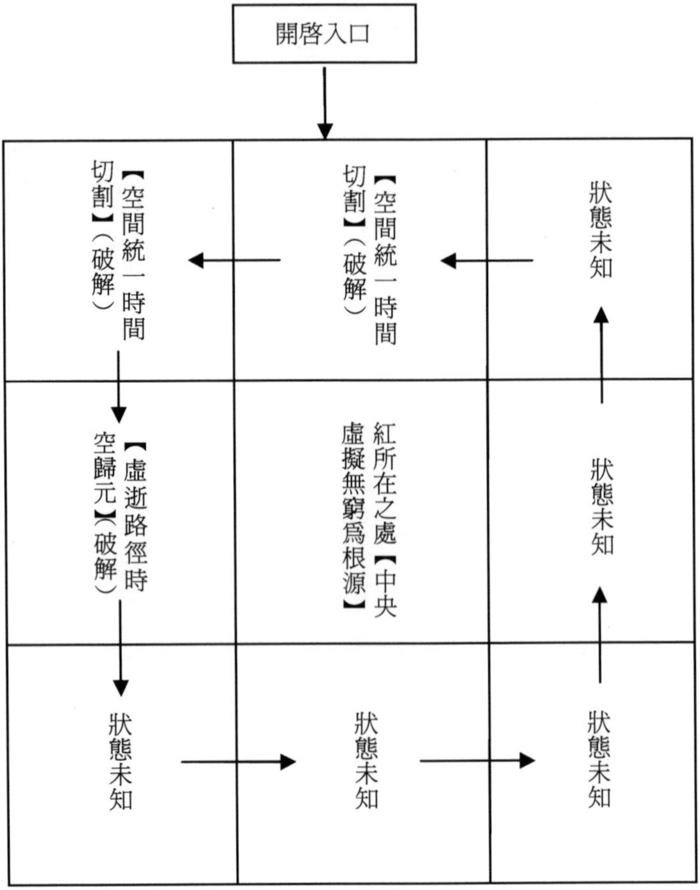
開啓入口
【空間統一時間切割】（破解）
【空間統一時間切割】（破解）
狀態未知
【虛逝路徑時空歸元】（破解）
紅所在之處【中央虛擬無窮爲根源】
狀態未知
狀態未知
狀態未知
狀態未知

眾人不約而同圍上來看，夢蘿接著說：「週邊任何的區間，都可以進入到中央系統去，但是若沒有順勢把週邊系統全數破解，而留下任何一個狀態存在，一旦擅自進入到中央系統，無窮力的核心就會相對性地轉移，我們就會掉入一個永遠破解不了的陷阱裡。如同次易原理的夸古卦，一個盤古就會形成一個夸父。兩者又可以如倒辨卦所云，相互二元互濟。」

袁毓真思索了片刻，皺著眉頭，轉面看著那扇門說：「那麼我們只能繼續往前進囉？夢彤該怎麼辦？」夢蘿說：「夢彤不要緊，這假性歸中，反而是歪打正著！假設我們沒有讓夢彤進入到中央系統去，純粹在週邊八象打轉，也一樣是永遠找不到核心在哪裡，就算都能破解而無險，也會精疲力竭而被龍族怪物制服。所以她在此時進入，等於是奠定了破解無窮變易循環的夸古狀態，我們只要把週邊剩下的五象突破，那麼整個變易系統運轉就停滯了。」

袁毓真抓了抓綁束起的漢式束髮，搖頭苦面地說：「沒想到龍族科學程度這麼進步，我們只是分散各卦的理論，怪物已經充分組合，而且實質運用出來了。我怕下面幾關我們打不過啦！」姜麗媛說：「有什麼好怕的，夢蘿不都幫我們算出來了嗎？」

袁毓真內心頗不自安，強作鎮靜地說：「孫子兵法有云：『夫兵形像水，水之行避高而趨下，兵之勝避實而擊虛。水因地而制行，兵因敵而制勝，故兵無常勢，水無恆形。能因敵變化而取勝者謂之神。』我們若能夠避開龍族怪物設定困難的關隘，而打比較脆弱的地方，才比較妥當。我的意思是，應該我們進入中央系統，而機器人去對付週邊的八象。」

夢蘿說：「你剛才說的兵法，是人類以往對付自己同類，所累積的作戰心得，指本身維持一個原則，因敵人而變化狀態之意。但倘若敵人本身就是『變化』呢？你得從何變起？過去的經驗與原則，不全都管用了。我純粹就是個編程出來的機器人，並不畏懼死亡。但如外圍的困難關卡，並不見得比較危險，中央系統並不見得安全，夢彤當機的狀況就如此。剛才所說的『反向變卦』也是這個意義。」於是把電腦還給袁毓真，接著說：「皇蓀殿下決定吧，倘若你們要進入中央系統，那我送你們上去，自己獨闖其他關卡。不然九宮幻方的系統，仍然不會突破。」

姜麗媛拉著袁毓真說：「我們就別上去了，還是跟著夢蘿，人多比較安全。」袁毓真苦了臉，加強語調嘆口氣地說：「唉！好吧，不過要小心前進。」

一行人進了那扇門，門就自動封閉住。這裡跟剛才重多四方體房間一模一樣，沒有什麼差別，也沒見到什麼敵人，大伙先是警惕而後逐漸降低了緊張氣氛。蔣婕妤從背包拿出水壺，大伙也都渴了，六人輪流接過水壺，一下就把水喝乾。

當水壺放回蔣婕妤背包後，她忽然大聲尖叫了一聲。眾人不約而同看著她，問她發生什麼事。蔣婕妤嚇得花容失色說：「我的手……我的手變了。」眾人一看，也都吃了一驚，蔣婕妤的手似乎開始老化且腐爛，眾人不約而同各自看了自己的手，都有不同的詭異狀態，而且這種變化逐漸從手指蔓延到全身上下。袁毓真的手出現噁心的泡疹且逐漸往身上潰爛，黃敏慧被冰凍且逐漸破碎，何佩芸被燒烤一般地焦黑，姜麗媛被切割一般大量滲血，歐陽玉珍像被強酸溶解掉。而夢蘿外表膚質與人造肌肉也都衰變退去，只剩下機械鋼體的本質，而上頭也開始氧化生鏽斑。眾人都正在驚慌時，對面門扇打開，跑出一台菱頭戰鬥兵器，其外型配合這種情境，宛若死神降臨。

袁毓真痛苦地大喊：「怪物又出了什麼招數？夢蘿，快救我們。」

夢蘿說：「現在先讓我對付那隻怪物，不然就會全軍覆沒。」夢蘿全身已經顯露出鋼體，外表看上去已經不是美女形象，而是有些生鏽的機器人。夢蘿左手拿起了衝鋒槍，右手啓動離子砲，與菱頭死神兵器混戰。

一邊是龍族武器死神怪，一邊是人造智能機械兵，一邊發射多彩雷射彈，一邊反擊槍彈離子能。兩個不同智能方式，製造的自動作戰兵器，乒乓巨響，殺得難解難分，雖然夢蘿性能不差，但是身上材料受到某種「力量」的衝擊，似乎陷入苦戰。蔣婕妤全身已經衰老成老太婆，提起力氣，辛苦地對袁毓真說：「快掩護她……」

症狀較輕的袁毓真，手顫抖著拿起火箭筒，眼睛瞄著微電腦自動對焦準心，發射裡面最後一發火箭彈，轟掉死神怪物的雷射砲口，夢蘿趁機加碼一發離子砲，把死神怪物打得粉碎。雖然獲勝，眾人卻高興不起來，除了袁毓真還勉強有說話的力氣，其他人都已經面目全非，進入假死狀態。

袁毓真全身糜爛，頭髮掉滿地，痛苦地說：「夢蘿，我們現在怎麼辦？」

夢蘿說：「剛才進門之前，提到我們的敵人本身就是『變化』該怎麼辦，沒想到一語成讖。這種狀態我沒有深度的思維編成程序，不過可以對比次易原理，夸古卦的變卦圉嶺卦。

我們的組成單位，本質都是曲解，對變易來說都沒有『永久正當性』，只是一種降冪的璇影而已。只要變易『需要』啓動運行，包括我們的身體狀態這種型態，隨時可以被各種方式消滅掉。」袁毓真苦著臉喘氣道：「我知道變易是神……我們不能抗衡……但是龍族不是……快拿出辦法救我們……」說罷，倒於地上無力再言，也跟著其他五人一樣，進入了假死狀態。

夢蘿也發現自身的動力逐漸受某種力量干擾，哪怕是核動力的狀態也怕『變易』的侵蝕。電估計只能再運動數分鐘也要瓦解了，於是啓動離子砲轟掉天花板，但是卻沒有任何效果。電力霎那間只剩下十秒鐘，夢蘿的思維編程只能選擇最後一項，往死神兵器出現的門口衝過去。當衝過了這道門，忽然白光乍現，夢蘿被彈回數公尺，但眾人都恢復了原有的健康狀態，夢蘿本身的人造肌膚與衣物也都復原，展現美麗的外表，地面上則散落著死神兵器的零件。眾人才又歡呼了起來。

蔣婕妤趕緊拿出鏡子，發現自己又再度青春貌美，開心地問：「夢蘿，妳是怎麼辦到的？」夢蘿說：「很簡單，這是一種思維編程的猜測。一、龍族也只是物種之一，不可能完全駕馭變易體，所以這種狀態必有破綻。二、圉嶺分衍情境事態，其數制規範是線性且兩儀反變的，假設這階段有機多變，下階段就穩固，再下一階段又容易變化。而在這種龍族虛擬的狀態下，不可能真的讓時間來掌握這種數制，只能是空間掌握。所以只要任何被侵蝕的物體，衝入下一個空間的穩固階段，那麼所有虛擬的圉嶺數制就會瓦解。」

第五幕　反速度、同質切刃

袁毓真喘口氣，感覺自己又過了一難關，微笑著說：「才過了四象，還有另外四象要突破。希望次易原理還能繼續幫助我們過關。」歐陽玉珍說：「九宮幻方還真的是很恐怖，剛才我真的以爲自己要死了呢。」姜麗媛撿起衝鋒槍說：「是啊！好在我們還知道這是『八象迷離』，自己已經過了一半關卡，不然再這樣下去，那我真的會崩潰。」

袁毓真忽然一怔，緩緩說：「最早李韻怡唸唸有詞這麼說，是不是在暗中幫助我們啊？不然我們也不會有九宮的概想！」蔣婕好瞇著眼嘟嘴道：「你又開始在想念那隻小母狗了。」黃敏慧故意推袁毓真一下說：「乾脆你也賣身給龍族，既可以跟她在一起，也順便把我們放出去，免得後面四關我們過不了。」袁毓真呵呵傻笑轉變話題說：「好了不開玩笑了，我們繼續往前衝吧。」

眾人又緊繃了神經，小心翼翼地到了下一個四方體房間，進門之後，只發現一個橢圓小球在原地彈跳，而此小球漫射著紅光，如同李韻怡施展九宮幻方的前奏一般。眾人看了這紅光，大腦感覺前所未有，超過視覺、聽覺、觸覺、味覺等等既有感官的滿足感，這種感觸自然是語言無法形容的，眾人逐漸昏昏沉沉。

夢蘿視覺掃描眼，竟然也有受到干擾，發覺情況不對勁，非常大聲喊道：「全部都清醒一點！小心別中招！」大家才頓時清醒，並相互用力拍擊肩膀以醒神。

袁毓真說：「玉珍妹妹，立刻射擊那一顆球！」歐陽玉珍點頭道：「遵命。」於是拿起狙擊槍，向前跨一步採取跪射姿勢，瞄準十多公尺外的彈跳小球。

蔣婕妤喊道：「等一下！」歐陽玉珍於是遲疑未發。蔣婕妤對袁毓真說：「我怕這是陷阱，開槍射擊會出什麼意外。」袁毓真也怕出事情，才說：「好吧，玉珍妹妹妳先原地等等，我們先在這房門四處探查一下。」於是留了歐陽玉珍在原地，其他人在房間四周搜索，然而搜索許久仍沒有任何暗門或其他特殊現象，那顆橢圓球仍然在原地彈跳，沒有停止的跡象。

袁毓真說：「我看還是得從這顆跳動不止的橢圓球著手，先回到原處，開槍射擊看看吧！」夢蘿對此，也計算不出當中端倪，只好說：「先讓我觸碰看看，我怕太激烈的射擊，會引起不可收拾的狀況。」袁毓真說：「不行，萬一妳有什麼損毀，後面幾關我們就沒保鑣了。」蔣婕妤插嘴說：「讓我來處理！」於是拿出水壺往橢圓球彈跳的軌跡扔過去，兩物相觸，「啪」了一聲，水壺被快速被彈出去，四分五裂成為裂片。眾人同時反應都是蹲了下來，橢圓球仍然在原地彈跳。

夢蘿說：「不對勁，它的彈跳高度比剛才幅度大！」蔣婕妤說：「我看不出來啊。」袁毓真說：「妳當然看不出，妳是肉眼，夢蘿是電子眼。我看應該如我所言，開槍射擊看看。」蔣婕妤搖頭說：「不可以這麼做，我認為這一定是陷阱，不如讓夢蘿射擊牆壁，看能不能轟出一個洞。」袁毓真猶豫了一下，說：「好吧，先依妳的意見。」於是眾人退回原處，夢蘿發了離子砲，但是那顆橢圓球似有感知，在夢蘿發砲之前就加強紅光，竟然把離子砲能量中和掉。夢蘿竟也如人類一般，張大表面嘴巴，顯露驚訝神情。

蔣婕妤也吃驚地道：「好怪異，那到底是什麼東西？」袁毓真果決地說：「現在只能用槍射擊看看了，玉珍妹妹，動手吧！」歐陽玉珍點頭稱是，立刻跪射跳動中的橢圓球，一發便中，打中之後橢圓球消失了。正當大家以爲事情結束之時，忽然房間四周開始平面延伸光圈，向原來的球體位置聚集，眾人本能地閃避，歐陽玉珍的狙擊槍沒有規避好，被內縮的光圈截中，切成兩半。眾人才大驚失色，這種緩慢的光圈竟然是可以切割東西，不敢想像自己被切截中會是什麼狀況，收縮到球體消失位置之後，形成了一到平面光板，袁毓真拿出電腦感應筆去觸碰，聽到「刷」一聲，觸碰的尖頭被切成粉碎狀，這種切割狀態嚇得大家擠在一起，盯著這光板位置不敢觸及。

躲過了一個光圈延伸，眾人已經被擠壓在光圈板下面，然後又出現一個光圈開始逐漸向原來球體消失位置收斂，眾人所在位置將逐漸被切割得越來越小。眾人又本能地對光板開火，子彈已經夠快了，卻仍然把打出去的子彈切得粉碎，空中頓時飄蕩一陣金屬煙粉。夢蘿本能地繼續開砲轟擊牆壁，能量一樣被中和掉。

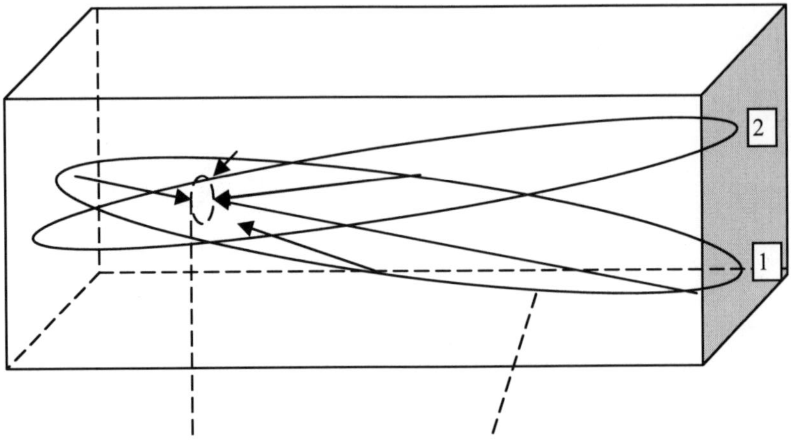
2
1
彈跳球消失的位置
光環各方向，平面地、緩慢地以原來球體位置當中心，內向延伸，切開一個平面之後又一個平面，眾人所能運用的空間越來越小。

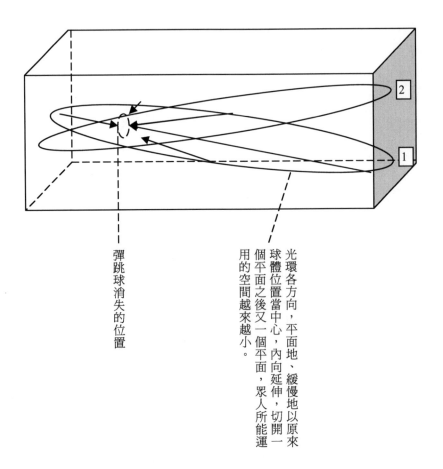

袁毓真見狀不好，機警地大喊說：「這裡的空間情境分布與外界不同，可以中和離子砲能量，這樣下去我們的空間會越來越窄，直到最後被切成粉碎！夢羅，妳快分析這東西是憑藉什麼原理製造的！」

所幸光圈延伸速度不快，眾人還有時間思考，但夢蘿卻回答說：「報告皇孫殿下，光憑我計算不出來，這情況跟次易原理怎麼連通編程，除非你給我思想提示。」袁毓真跟女孩們擠在一起，露出苦臉道：「唉歐！我們現在沒有時間慢慢思考啦！」蔣婕妤拍了一下袁毓真的肩膀說：「別慌張，不然想不出對策！」

袁毓真大腦中，感覺什麼變化卦象都似有可能，憑直覺浮現聯綱卦、相時卦與封構卦的啓發，然後依照記憶說：「這讓我想起強力水壓造成的水刀啦！連金屬都很快速地切割掉！聯綱卦，當視時空為一體，以探討事物，卻顯現更高的法則。封構卦，物質定義量的封維建構。物質定義量並非僅一種敘述方向，而是全通方位的，那麼一種物理敘述的定義式，其變易解讀，可以轉位。相時卦，兩儀映制下，變易在相對取時中，必然漸趨反作。好啦！這樣提示夠不夠？總之我感覺這是以速度為基礎，相反變化出來的殺陣！」這句話才說到一半，第三環光板面開始啓動，眾人擠在不到原有空間的四分之一位置。

夢蘿說：「編程正確！這是『反速度』架構的切刃！通常不管任何柔軟的東西，只要是速度就可以產生切刃，但是速度架構需要適當情境，與充足的能量。倘若架構出反速度，對於正面情境來說，一樣有切刃的功能而且不需要花費太多情境資源部署……」袁毓真睜大眼打斷道：「第四面出來啦！理論有空再說！快拿出辦法來啦！」夢蘿說：「所有武器都已經失效，目前只能賭一把生死，要皇蓀殿下你下令才能這麼做。」袁毓真摟著所有女孩，紅著臉大喊道：「快說怎麼做！」夢蘿回答：「反速度只有在極特殊的環境中才虛擬得出來。只要使用我體內第二顆氫聚變電池，把我們所有人同時轟成光速物質，當反速度建立的切刃切割無窮時，自然會把我們建立的速度情境分佈中和掉，把將要殺我們的切刃力量，變成組成我們情境重生的力量。那麼這種虛擬狀態就結束了！」

竟然要先自殺而後重生，眾女子聽了也都嚇得花容失色，袁毓真一時不敢下令。姜麗媛喊道：「第五圈來啦，我們已經沒有多少空間了，快點下令！」袁毓真瞠目結舌，只緩緩道：「我不想死……」姜麗媛賞他兩耳光說：「要死也有我們五個女孩陪妳一起死，怕什麼！現在不賭一把，等一下死得更難看！」這兩耳光還頗有效果，袁毓真搖了一下頭，一副孬種樣子，緊摟何佩芸與歐陽玉珍兩個女孩，掉下眼淚說：「知道了啦……夢蘿，開始幹吧！」夢蘿如同剛才引爆第一顆迷你氫彈，也把第二顆氫彈轟了出來，大家只感到一陣白光之後不能呼吸。

不知道過了多少時間，光環切割了無窮道，塞滿空間後恢復了彈跳橢圓球，眾人清醒了過來。在自爆之後的一切狀況都恢復原狀，只有電腦筆與狙擊槍無法復原，而橢圓球雖然還在彈跳，後面的門已經打開。眾人又雀躍歡呼。

袁毓真雙手抓著機器人的手，開心地說：「夢蘿妳救了大家！」夢蘿露出微微一笑說：「多虧皇孫殿下告知『反速度』的概念，不然我的思維編程無法計算到這種方法。」蔣婕妤問：「我倒很好奇，怎麼在這種情況下自殺之後，又可以復活？」

夢蘿說：「簡單解釋，這也是龍族虛擬無窮力的情境把戲，剛才皇孫殿下說水壓速度造成的切刃；能把離子砲中和，而使空氣都因切割發射出光芒，只有無窮的反速度，即無窮的光壓反速度，才能建置這麼強的切刃能力。在次易原理屬著統制篇的理論，時間與空間等價之下，倘若速度是相對位移除以時間，那麼反速度就是相對時間除以位移，兩者是相互中和的。而反速度若能切割我們的存在慣性，那麼在中和之下，速度就能製造我們的存在慣性。相反情況，也是如此！」

蔣婕妤點點頭似有理解，拉高語調說：「喔……這樣也符合一項定律，當一個形上體正在剝損一個優勢慣性的時候，生門將會變成死門，死門將會逐漸變成生門。我們的空間是『生門』，但逐漸被切割剝蝕，死守這個『生門』那就會變成『死門』。倘若把這空間變成『死門』那麼就會轉化為我們的『生門』。」姜麗媛呵呵一笑說：「站在軍人的身份，我只知道兵法有說，至之於死地而後生。」袁毓真拍了姜麗媛肩膀，也笑著說：「這種簡化的思維，沒有深度結構，只能事後諸葛亮，無法事前變通這麼多怪異的狀況啦！」其他女孩也都呵呵一笑。總之眾人又度過了一關，重生的喜悅洋溢，鼓起勇氣繼續闖下一個房間。

八象迷離中，還有昇、励、壄三個關卡，眾人還能憑藉次易原理過關嗎？龍族真的是要制眾人於死地嗎？欲知後事如何且待下象分解。

『刖』義解契下，夢蘿的編程數論

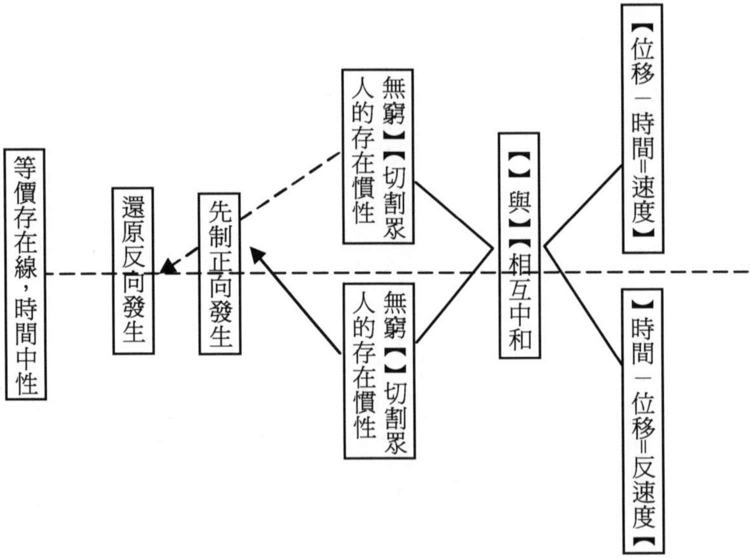

第十四象　大破幻方中無方格潛陷阱　龍和人兕兩族大審定叛逆

第一幕　㹊原稜鏡

七人闖到了下一個四方體房間，看到了一個菱形體漂浮在空中，是由上下兩個四面體組合而成，緩緩地旋轉，這種詭異氣氛跟剛才的彈跳球頗爲相似，而菱形體後面一公尺就是一扇開著的門，似乎擺明要眾人闖過去。

袁毓真指著它緩緩說道：「該不會又要射擊了吧？」歐陽玉珍站在袁毓真身邊，微微笑著說：「可惜狙擊槍已經壞了，得用衝鋒槍打。」姜麗媛端起槍說：「妳們都準備好了嗎？」蔣婕妤急忙阻止道：「等等，先別那麼衝動，看看怎麼回事再說。」轉而問夢蘿。

夢蘿沒有回應，只慢慢走向前去，距離數公尺看了看那個菱形體，她機械臉孔外的肌膚，大多都是冰山美人的冷酷模式，即使說話也少有表情，然而看了這菱形體，忽然回頭，露出驚訝的臉孔。袁毓真見狀即問：「怎麼回事？」

夢蘿邊往回跑邊說：「超高密度材質！裡面有我們在活動！」眾人摸不著頭腦，尚不清楚她到底在說什麼。忽然菱形體加速自轉，投射出七個人，眾人看了都大驚失色，這七人長相竟然都是由闖關的七人倒映出來的，每個人都由類似強化塑膠組成的軀體，但是輪廓都有些改變。倒映袁毓真臉像有些貪婪，身體型態像是壯碩的猿猴，全黃色，下體竟然有透明橢圓的粗壯陽具。倒映蔣婕妤面貌陰沉，全黑色，身體上出現眾多利刃猶如刺蝟。倒映黃敏慧表情和藹，全綠色，但身體上出現很多槍眼。倒映姜麗媛面貌凶神惡煞，全紅色，身體上出現六肢粗壯的拳頭。倒映何佩芸面貌歡愉，全粉紅色，身軀變成了爬蟲蛇狀但竟然有雙乳。倒映歐陽玉珍面容哀悽，全藍色，身軀竟似機械鋼體。倒映夢蘿則毫無表情，身軀完全與實體相同，但是光華如全透明玻璃。

蔣婕妤的雙手槍，姜麗媛的衝鋒槍，黃敏慧的自動步槍，全都上膛戒備。夢蘿的右手也變形成離子砲座。沒想到對面的倒映袁毓真竟然開口說話：「等一下！能不能先讓我說說話？」頭一次出現眾人之外的說話聲音，除了夢蘿之外其他六人都不禁豎起汗毛。袁毓真面對一個依自己模式，改造的活體『物品』，除了恐懼還帶有些被侵犯的憤怒，站在夢蘿身邊，指著對面的倒映體，怒罵道：「你們到底是什麼怪東西？」

倒映袁毓真歪著嘴說：「我們就是你們啊！而我也是秀士英雄袁毓真！」聲音有些變形，

但是基本語音類似，如同電話變音。袁毓真頂回去罵道：「看你們身體的鬼樣子！竟然還敢說是我們！」對面的倒映七人，同時低頭看自己身軀，又同時抬頭。倒映袁毓真開口說：「沒有什麼奇怪啊，這是依照你們內心世界塑造出來的型態，包括表情都是，其實我們還更美化了一些。」

姜麗媛大罵說：「去你的！」衝鋒槍同時開了幾發子彈，打中倒映袁毓真身上，倒映袁毓真歪斜了一下身體，馬上又站了起來，把子彈從強化透明體中擠出來，掉落在地上。倒映袁毓真露出貪婪神情說：「竟然開槍打我，等一下看我怎麼玩死妳！」姜麗媛反而看了一眼真實的袁毓真，更加憤怒地說：「玩你個大頭！」於是瘋狂掃射。蔣婕妤、黃敏慧也同時應聲開火，夢蘿也啓動戰鬥編程，右手綻放藍光發射離子砲。其他三人沒有武裝，袁毓真左手牽著歐陽玉珍，右手牽著何佩芸，往後退到房門角落。倒映七人在火力射擊下，頑強地往前衝殺。除了夢蘿的離子砲能一次轟掉一個倒映體，其他人的射擊只能遲滯它們的行動，使之略有損害而已。

倒映黃敏慧竟然也開槍回擊，往躲在角落的三人開火，袁毓真左肩擋在歐陽玉珍的胸前而代替她中彈，當場大叫一聲痛楚後仰，兩女子攙扶著到一旁，夢蘿急忙開砲轟掉倒映黃敏慧，歐陽玉珍背後抱著他，何佩芸開急救箱。總算把所有倒映體都打成碎片，但是不論怎麼攻擊，漂浮旋轉的菱形體不受影響，子彈或離子砲靠近菱形體，立刻消失。

眾人回過頭關切袁毓真傷勢，袁毓真忍著痛地說：「快給我半身麻醉，好痛啊！」。何佩芸再打了一針，袁毓真左半部全然失去知覺，挖出透明彈片，施上藥物包紮好，歐陽玉珍、何佩芸兩女左右扶起了他。

情況似有緩和，蔣婕妤問夢蘿：「這菱形體似乎可以製造活物！到底是什麼東西？」夢蘿說：「我的判讀是類似中子星物質的『高密度』物體。任何的觸發都可以自由塑造實體，這種物質倘若都解離開來，可以塞滿整艘太空船還不止。不知道龍族怪物是怎麼辦到的，無法分析得出。」

袁毓真苦著臉說：「都是虛擬把戲啦！這麼說它還會再投影出東西……我們快點闖過去。」夢蘿說：「不可以前進，剛才我就是太靠近它，才觸發了它的投映機能。最好距離它遠一點。」姜麗媛說：「不如我們從旁邊繞過去。」夢蘿搖頭說：「它現在卡在門前面，周邊的幾何距離，都一定可以觸發它。」蔣婕妤皺眉說：「那難道永遠不往前進嗎？」夢蘿說：「當然不是，得先弄清楚它是由什麼原理建置而成的。」蔣婕妤情緒似乎有點激動，追問說：「那妳快說是什麼做成的？」夢蘿瞪大眼睛說：「先別這麼急，好歹讓皇孫殿下休息一下再說。」看了看袁毓真的樣子，蔣婕妤才冷靜下來。

袁毓真雖然身軀麻醉失去知覺，尙還有精神說話，緩緩地問：「夢蘿，我還好，妳認爲這到底是什麼東西？」夢蘿先用電子眼，再掃描了袁毓真的傷口，判讀傷勢不嚴重，然後才說：「這是利用我們的型體的深度，塑造外表型態的機器人母體，如同一個活性的小工廠。外界給予的任何刺激，都會解離出物質產生相對映的機器人，而且機器人都有自主意識。而我們的武器，對這工廠本身沒有任何效果。」姜麗媛問：「那該怎麼辦？」夢蘿搖頭說：「不知道，這種狀況我無法編程……」

只好都坐在角落地上，遠離漂浮的菱形體稍作休息，過了數分鐘，袁毓真躺在歐陽玉珍的腿上，緩緩地說：「啊！我知道了！」眾人都因而提起精神，歐陽玉珍扶他坐起，接著說：「這是利用物質自擇與慣性的倒映模式，去組建戰鬥型體的高密度工廠。按照次易原理附屬著作第一篇，以及聯次卦，一切的生命體型態，都是由物質自擇與慣性，複合聯次而形成，所以生物型態的長時間演化趨向，必然是累積所有個體的自擇趨向而形成。那菱形體一定可以照出我們深層的內部自擇結構，反向激化內部中性高密度物質，去投映慣性，而有快速生成自主意識的工廠。」

蔣婕妤說：「可是夢蘿不是生命體啊！」袁毓真點頭說：「沒錯，關鍵就在這。妳有沒有注意到剛才，夢蘿的倒映體與大家的倒映體不一樣？不但透明沒有顏色，而且外表沒有誇張的形體。」蔣婕妤機敏地點點頭說：「是啊……難道這就是關鍵嗎？」袁毓真微笑了一下說：「這菱形體倒映自擇與慣性的範圍，一定有所限制。妳們仔細想想，子彈與離子砲都可以算是物質的自擇與慣性體，但是射擊這菱形體則閃光而消失，有些子彈還可以穿到對面的牆壁上，相對於這兩者，更加接近我們六人的夢蘿，則產生無型態的透明體，戰鬥力量更加衰弱。代表沒有『深度生命演化縱深』的活動體，這菱形體就無法倒映出東西。又如同犹原卦所云，生命體可看作抑制原生相的複雜矛盾體，當中的矛盾就在於自擇與慣性的交錯複合。這菱形體一定是從這裡切入的，所以只要越趨向於非生命，它就越抓不到倒映體。」

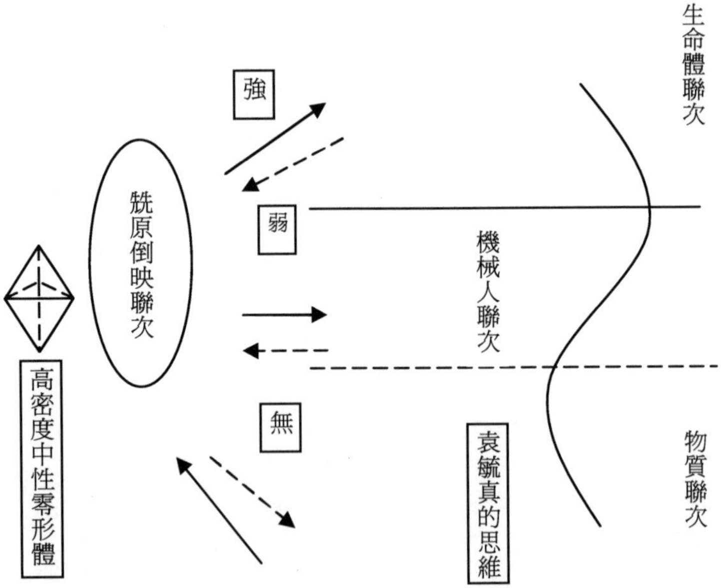
生命體聯次
強
弱
無
兟原倒映聯次
機械人聯次
高密度中性零形體
袁毓真的思維
物質聯次

夢蘿說：「皇孫殿下分析極對，絕對中性的機體，必然能夠快速塑造有意識的『生命』，我的意識也是電腦高速模擬生命聯次型態所形成，這必然是龍族怪物的人工智能製造方式。但是我們沒有辦法變成無生命的聯次狀態闖過去。」

袁毓真洩了氣，緩緩說：「是啊……破壞不了菱形體，也過不去……除非我們又用氫彈自殺……」夢蘿說：「我體內只剩一枚氫電池，況且這情況跟剛才不同。」大家又束手無策，情緒失落，坐在地上沉靜了數分鐘。蔣婕妤說：「有了！我們不能繞過它，不能破壞它，但是不見得不能俘虜它啊！」夢蘿頭歪斜了十幾度問：「請說明清楚。」

蔣婕妤站立起來，兩手拿著手槍，指著半空中的菱形體說：「我們若是有一種遙控的網子，把它束縛住，移開門口，在這四方大房間內，與我們保持一定的幾何距離，我們不就可以繞過去了嗎？或是用一種東西包裹住它，讓它無法倒映出形體，我們也可以堂而皇之過去。」

夢蘿微笑了出來說：「說得對，人腦運算還是有比我的中央處理器靈活之處，這種結論我至少要計算半小時。」袁毓真問：「可哪來這些東西？難道用黑布包裹？」夢蘿說：「當然沒這麼簡單，遮蔽這種『聯次倒映』物體，必然需要強大的重力系統，例如小型的黑洞，但是我們辦不到。而束縛它倒是可以用我體內的遙控網狀系統。」袁毓真說：「那就快試看看，」

夢蘿左手變形，抛出一個網子把菱形體套住，而網子束縛口，有眾多遙控小圓球一起噴射拖曳。於是何佩芸、歐陽玉珍架起袁毓真，跟著其他人繞了過去，果然避開了危險的倒映狀態，進到下一扇門。

第二幕　光霧器

眾人又到了下一房間，先感覺到一陣水氣，地上溼滑滑的，而這一房間跟剛才一樣，對面也開了一扇門，似乎坦蕩蕩讓大家過去，只是那門前站著一個半透明狀龍族娃娃，身如圓桶，頭左右搖擺，嘴巴還間歇性地噴霧出水氣，樣子頗滑稽。

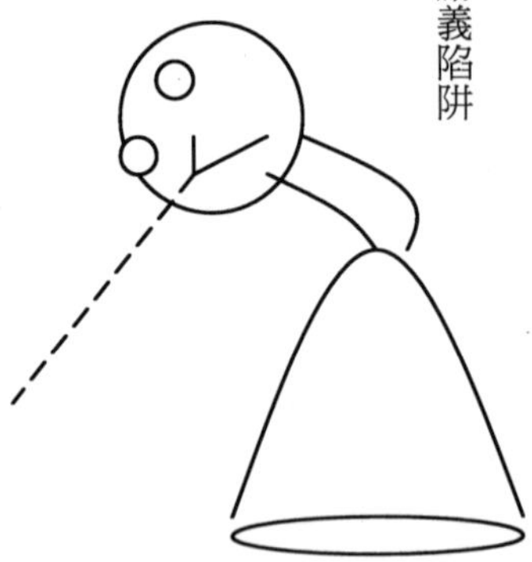

眾人有些傻眼，姜麗媛笑著說：「這種噴水的澆花的東西，怎麼會擺在這裡？」黃敏慧說：「是啊，開槍就可以把它打爛掉。」蔣婕妤反倒是繃緊臉說：「龍族怪物很狡猾，妳們別被表象所騙。」轉而問夢蘿：「妳有瞧出什麼嗎？」

夢蘿說：「看不出端倪，似乎得先開一槍看看變化。」蔣婕妤對黃敏慧說：「妳用步槍往噴水處射擊一發看看。」黃敏慧點頭說：「遵命。」於是採取跪射，朝它開了一槍。

沒想到龍族娃娃同時閃了一道光芒，子彈就停在半空中，忽然轉彎射向黃敏慧的大腿，黃敏慧尖叫了一聲倒地。這流程時間非常短暫，眾人同時一怔。緩過神來，袁毓真急忙對何佩芸喊道：「快去救人。」何佩芸趕緊打開醫務箱，快速急救，歐陽玉珍一人使勁攙扶半身痲痺的袁毓真。

但是很快就發現情況不對勁，黃敏慧持續慘叫，這不像是受槍傷，好像是被刀用力在身上劃砍，何佩芸驚訝地喊道：「子彈在動！」眾人圍過去，都大驚失色，皮膚股起一團往軀幹方向移動。夢蘿右手拿了醫療箱的毛巾，放到黃敏慧嘴巴給她咬住，左手變形成一個尖銳的剪子，說：「妳忍著點。」於是就刺入她大腿靠近骨盆處，用力把子彈抓住，拔了出來。結果鮮血噴出，大家身上都染了血，黃敏慧先是瞪大眼睛，而後痛楚地昏了過去。何佩芸趕緊使用凝固藥粉止血，並且包紮傷口。

夢蘿左手鐵剪緊銜著子彈，那顆子彈竟然像一隻昆蟲在掙扎，還發出尖銳的叫聲。眾人仔細一看，子彈好像蝗蟲一樣有眼與嘴，夢蘿右手食指皮膚液化退去，通上高壓電，電擊這顆子彈，子彈尖嘯了一聲恢復原型，才將之丟在地上。眾人還被這情況嚇傻，好一會兒才醒神，姜麗媛怒目地一腳把子彈踢開。

蔣婕妤掉了眼淚，摟起黃敏慧，握緊她的手說：「對不起，是我的錯。」何佩芸安慰她說：「這不怪蔣姐姐的，妳還是我們的領導。況且她沒有生命危險，只是昏過去。」袁毓真看著一旁冒煙的子彈說：「太奇怪了，怎麼會有這種情況？」

夢蘿說：「這機器可以利用動態複合，改變靜態慣性的定義。把任何周邊範圍的事態，自擇與慣性的定義都相反倒置。子彈飛過去，運動慣性變成運動自擇，所以可以瞬間停止飛行。物質慣性變成物質自擇，所以可以賦予它生命。而當中的物質自擇可以變成慣性，所以可以讓活體子彈反過來與我們敵對，主動攻擊我們。」

袁毓真吃驚地說：「沒想到龍族怪物利用光在水中的折射，可以搞出這麼邪惡的名堂！」夢蘿回答：「這是次易原理湮勢卦，動態複合改變靜態的定義，湮滅自擇的強度的法則，在自然條件中只有粒子的世界存在這種情境現象，例如：電子的能階就是這樣瞬間跳躍的。我認為龍族也只有在這虛擬的幻方體內，才製造得出這些怪武器，若在宇宙中或是地球大氣中，會受限於龐大的因果關連網，這種法則扭曲的效果，不可能大尺度運行。」

袁毓真說：「那麼用離子砲可以轟掉它吧？」夢蘿說：「理論上可以。」蔣婕妤有些內疚，抹著身上黃敏慧的血，含淚道：「別動了！萬一又發生意外呢？」這一說，兩人都不敢再多講什麼，沉靜許久。

夢蘿摸了一下黃敏慧的身體說：「心跳體溫都正常，只是昏過去，要注意給她補充水分。身上的傷口，得等到回皇帝在浙江的基地，用特製藥水浸泡才能痊癒而無傷疤。」袁毓真安慰蔣婕妤道：「婕妤妹妹，我們盡快把這關打過去，就只剩最後一個陷阱，然後狠狠教訓龍族怪物，然後撤退，才能讓敏慧傷勢得癒。」她緩緩點頭道：「好吧！你們動手。」

夢蘿啓動了離子砲，轟得一聲龍族娃娃就四分五裂，連接的地面噴出大量的水。歐陽玉珍扶著袁毓真，姜麗媛背起黃敏慧，並帶上她的步槍，跟著其他人從旁繞過去。七人順利地走過龍族娃娃背後的門，進到最後一間密閉房間，房門自動緊閉住，形成一個密閉四方體房間。

第三幕　自衛體

袁毓真苦笑了一下道：「原來這麼簡單，我們竟然搞得這麼複雜。」

眾人查看四周，沒有任何異物，如然房間四面牆壁外加天花板與地板，開始蠕動了起來，掀起一層層緩緩移動的波浪，並且牆壁分泌出有毒物質。眾人頗爲驚慌，夢蘿說：「這房間是活體！我們侵入了它的體內！妳們快用醫療箱內的防毒面具！」眾人趕緊套上，姜麗媛放下黃敏慧由何佩芸照看，手持衝鋒槍問夢蘿說：「既然是活的，那就朝牆壁打。」夢蘿說：「我也是這意見。」於是兩人同時開火，蔣婕妤也開雙槍朝牆壁亂打，但是牆壁開始自我修復，同時發出尖銳嘶聲，停止分泌有毒物質，但纖維牆壁掉落一層一層的皮，組織成橢圓狀蠕動體，似是毛蟲，向眾人彈跳過來，女孩們都不禁尖叫了起來。

姜麗媛、夢蘿、蔣婕妤保護著沒有戰鬥力的四人，四面開火，但是卻出現越來越多，終有漏網，一隻蠕動體彈跳到何佩芸左臂上，何佩芸大聲尖叫了一聲，夢蘿左手抓起蠕動體，往外扔出去用離子砲轟碎之，但何佩芸左臂鮮血如注，痛得哭出來，歐陽玉珍放下了袁毓真，反過來幫她緊急醫療。

所有蠕動體都被轟掉後，眾人才緩緩拿掉防毒面具，夢蘿說：「我的離子動力砲能源已經不多了。」姜麗媛與蔣婕妤不約而同說：「我的子彈也快用光啦。」

忽然一面牆壁竟然虛擬出人的臉孔，喔喔地叫出來。夢蘿說：「這是區幾卦的型態區隔塑造，把這弄成細胞體的防禦機制，我們打下去永遠沒有止境，因爲這房間是不會被打死的。」袁毓真半身麻痺，搖搖晃晃地說：「記得夢彤上天花板嗎？八象已經都遭遇過了，我們必須要回歸中央系統，與夢彤配合！」

夢蘿點頭道：「沒錯，但是剛才六面都受過火力攻擊，全部都有自我修復的功能，不知道哪裡可以通往中央系統？」牆壁的巨大虛擬臉孔，嘴巴流出一個透明變形蟲體，開始向眾人逼近，而後虛擬臉孔消失。眾人群蹲在一起，不知道如何是好。袁毓真用盡力氣喊道：「這是動態翻轉空間！通道是不斷在轉換當中，與我們感覺到的重力定位沒有關係！必須同時六面開火！」蔣婕妤急忙回應：「可我們只有四把槍啦！」

透明變形蟲體跳過來，夢蘿挺而近身迎戰，撕打在一起。最終雖然把變形蟲擺平，但夢蘿的衣物與表皮都已經部份損毀，臉部一半露出鐵質板面，失去美貌的外形。而房間感覺到變形蟲已經失效，馬上又蠕動起來醞釀下一波攻擊。

夢蘿說：「醫務箱有兩把手術刀，我左手卸下，上臂可以拿來當作發射器發射一把刀，另外一個人持另外一把刀，往地下刺擊。這樣就有六面同時攻擊的可能。」歐陽玉珍說：「交給我吧！」袁毓真說：「我來讀秒，數三下妳們同時動作。」

於是依計行事，蔣婕妤持雙手槍負責左、前兩面牆，夢蘿則面對右、後，歐陽玉珍握刀準備往下，姜麗媛持槍朝上對準，袁毓真數三之後，同時動作。果然房間激烈震動，前方牆壁轟出一個大洞，透射出很強的白光，與之前所有房間綻放的微弱光芒頗有差異，一行人八象攻破下來，精疲力竭或多有傷，見到此景如獲重生，遂相互扶持著往洞外走去。

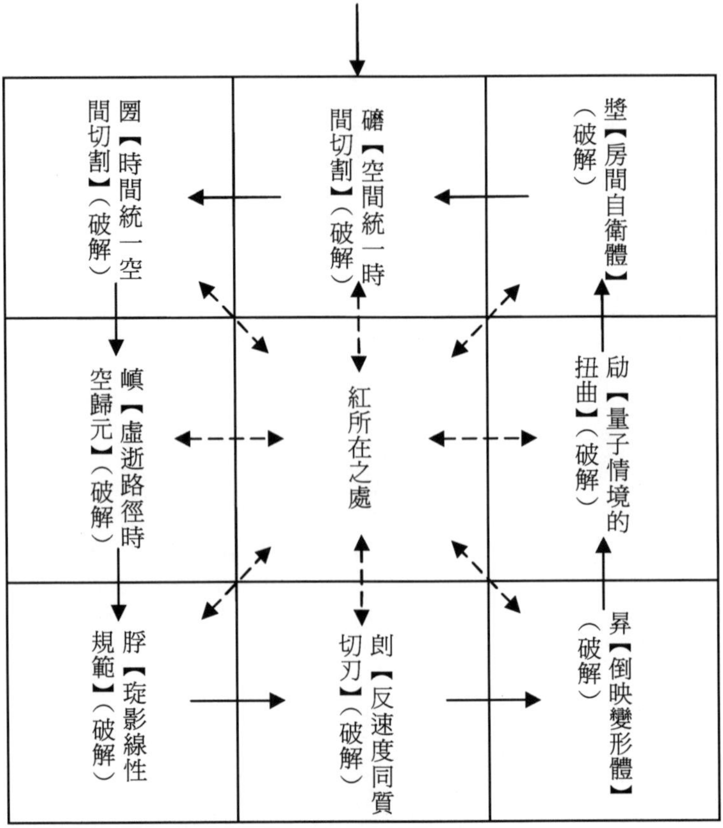

龍族九宮幻方，不同的時空情境對契分布

第四幕　自由的囚犯

出了洞口，發現李韻怡站在一個凹型圓碟上，身上光芒消逝，房門四周有著感應儀器用以操控九宮幻方，她面無表情看著大家。蔣婕妤拿起手槍指著她，怒目說：「妳差點害死我們！」袁毓真急忙喊道：「別開槍，不是紅妹妹的問題，是她龍族主人的問題。」蔣婕妤用力把槍丟在地上，瞪了袁毓真說：「放心，沒有子彈了，打不死你的紅妹妹！」

袁毓真右半部倚靠歐陽玉珍，往前走幾步，緩緩問李韻怡說：「我的機器人夢彤呢？」李韻怡沒說話，轉頭往後看去，龍族怪物邦邦打開了艙門，走了出來，透過翻譯器跟所有說：「沒想到人類能突破九宮幻方，這結果讓我很驚訝，我越來越想要把你們抓來當我的奴隸了。」

姜麗媛持起衝鋒槍，怒喊道：「你作夢！快把夢彤還給我們！」邦邦眼瞼從下往上倒閉，頭一歪，樣子頗爲詭異，雖然眾人以前見過牠，但仍是感覺怪異而汗毛豎起。邦邦身體周圍出現一層光霧，緩緩說：「別說你們沒子彈了，就算有對我也沒效。不給你們顏色看看，還真的以爲能跟我對抗。」說罷兩隻手持著半圓環碟狀怪器，李韻怡見了馬上閃避到一旁，眾人手上的槍確實都沒子彈，但損傷的夢蘿還可以發離子砲，見狀不好立刻對邦邦發射離子砲，但是邦邦身上的光霧一下就把離子砲中和，只造成牠一陣晃動，光霧散同其砲散去。若再發射一砲，那邦邦沒有光霧防護肯定會死，邦邦急忙啓動雙手的兩怪器發出閃光反擊，夢蘿全身一陣抖動倒在地上。

眾人大驚失色，邦邦道：「全部給我跪下！否則開始殺人！」袁毓真對著一旁歐陽玉珍說：「我們跪下吧……」歐陽玉珍只好扶著他帶頭下跪，姜麗媛也放下了昏去的黃敏慧跪在地上，何佩芸左臂受傷，右手扶著袁毓真右肩也跟著在背後下跪。見到所有人都下跪，蔣婕好扔掉雙槍「哼！」了一聲，心不甘情不願也跪了。

邦邦聒聒怪叫，似乎是得意而後嘲笑之狀，透過翻譯器說：「人類真的是低等又好玩的生物，不過有時候還聰明得讓我吃驚。九宮幻方連龍族戰士都不見得每一次都過關，沒想到你們能意外地闖過來。」轉面對李韻怡說：「先把他們關起來，交給妳訓練調教，讓他們成爲我忠實的牲畜。」李韻怡點頭稱是。

李韻怡雙手食指戴著金屬套，從後驅趕著眾人一步一拐走過一條長廊，進入一間狹窄的半橢圓小房間，裡面有一張四方體軟墊，進門之後袁毓真見邦邦不在，遂開口道：「紅妹妹，看在過去的交情，能不能把機器人都還給我們，然後讓我們離開？」李韻怡臉色沒有當初的兇惡，只顯得有些爲難，開口說：「主人的命令我不敢違抗，而且你們要先把傷治療好。」袁毓真還想要說話，李韻怡已經閃出房間，拉下半透明軟罩，房間溢出香水，如同海底基地遭遇時一般。

水位沒有超過軟墊，眾人將昏去的黃敏慧放在軟墊上，其他人坐在地上圍繞著軟墊周圍，泡著藥水都睡去了。

越過了一月底後的青龍日，二月三日。眾人醒來之時，都換上了銀色的套裝衣褲，整齊地躺在指揮室地上，所有人身上的傷勢都好了，乃至夢彤夢蘿也如此躺在一旁，只是中央處理器被關閉。這指揮室如先前一般，李韻怡與廖香宜站在透明圓盤上，懸浮在半空中，共同面對著淡紅光橢圓體感應控制器，以操控整艘戰艦。

李韻怡與廖香宜見眾人醒來，降下了半透明懸浮圓盤，李韻怡微笑著說：「你們已經睡了五天，所有生理循環與排泄，都靠機器幫助，也累得我半死呢。」廖香宜也露出笑容，指著夢蘿與夢彤說：「這兩台機器人的修理，也讓我累得半死。」

六人見她們似乎沒有惡意，且才剛醒神而全身疲軟，遂也降低敵對意識，袁毓真首先起身，用力伸了懶腰說：「能不能把我們放回地球去啊？」李韻怡低著頭說：「這不是我們能決定的，邦邦主人要我們調教妳們，當牠忠實的牲畜。」所有女孩也都跟著起身，而夢彤夢蘿兩機器人仍然閉目躺在地上。

蔣婕妤冷冷地問：「妳們不是要去冥王星，而後到九九星球嗎？怎麼又跑回來？」李韻怡回答：「我們先到觀星台吃飯，慢慢再跟妳們說。」眾人面面相覷不知道是否該答應，廖香宜說：「放心吧！我們不是妳們的敵人，不然的話這幾天也不會花那麼多精神照顧妳們。」袁毓真點頭說：「我知道妳們不是敵人，可是我們不想被當作牲畜啊。」李韻怡露了一絲冷笑說：「誰叫妳們要主動闖這艘戰艦？也不是我們抓妳們來的。」袁毓真苦笑了一下說：「還不都是那個瘋老頭子害的，紅妹妹妳也見過，替我向妳們的主人解釋。」廖香宜搔頭說：「先別說這些了，到觀景台一起吃飯吧。」蔣婕妤放鬆了敵對意識，拉著袁毓真說：「我們就先去吃飯吧！實在又渴又餓了。」袁毓真嘆口氣說：「好吧，至少我們還活得好好的。也許可以跟邦邦談合作……」

眾人乘坐著橢圓懸浮車，通過一條條走廊。

這艘宇宙戰艦雖然不是龍族最先進型號，卻已經讓眾人感覺廣大且進步，再度乘坐電梯上了觀景台。黃敏慧與何佩芸之前跟著賀嘉珍，所以沒有來過這裡，見了如此壯麗深悠之景，同時「哇」了一聲，而這次背景不再是銀河，而有一顆地球高掛在上頭，眾人的目光也因遊弋在上頭，而龍族製造的自動機器，也都準備好餐飲酒食與桌椅，桌椅旁還有微弱的燈光，於是眾人入座。

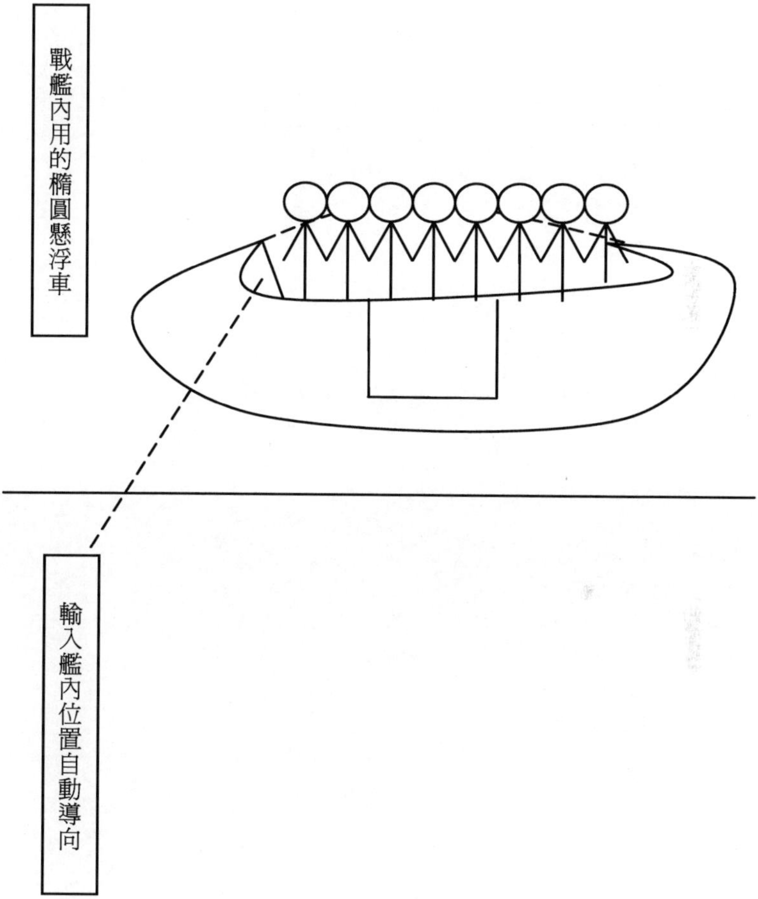
戰艦內用的橢圓懸浮車
輸入艦內位置自動導向

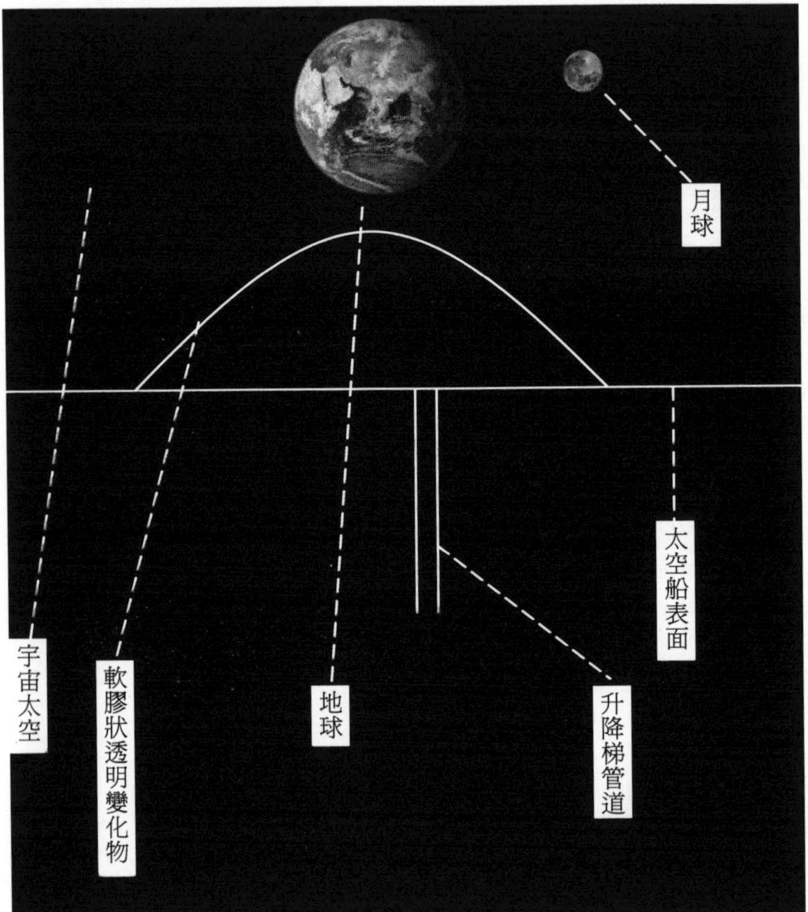
月球
宇宙太空
軟膠狀透明變化物
地球
升降梯管道
太空船表面

李韻怡拉著袁毓真一起坐下說：「好了，多的是機會看，先吃飯吧，沒想到我們還能再見面。」「呵呵，是啊!可見真有機緣喔。」袁毓真也開心地與她說說笑笑，還沒等姜麗媛、蔣婕妤去阻止，廖香宜就故意插坐在兩人中間，還皺眉頭叫李韻怡離開一些，並總是打斷兩人之間說話。

不過伴隨良辰美景與佳餚美酒，李韻怡、廖香宜與大家相互談話很活絡，似是多年好友相聚。見到氣氛融洽，蔣婕妤才問：「兩位不是要去九九星球?怎麼會又跑回來?」眾人也因此沉靜，廖香宜喝了一口酒，坦承說：「是因爲龍族主人邦邦，堅持要走『時間路線』，不肯服從其他同類的『空間路線』。在外太空攔截了我們，並且在這艘船上加裝最新引擎，之後我們極有可能與其他龍族分道揚鑣，前往八百萬年後的地球。」

袁毓真疑問：「一下九九星球，一下八百萬年後，妳們真的願意永遠離開喔?」兩女子相互看了一眼，聳肩不回應。姜麗媛問：「其他龍族難道不會追緝這個邦邦嗎?」李韻怡說：「已經追緝了，只是案件還在上訴審理當中，不然龍族大部隊都在這附近，我們也不能安穩地在地球軌道。」

聽她這麼說，代表龍族內部有矛盾，袁毓真頗不自安，急忙對李韻怡說：「那麼我們得快離開這裡，萬一龍族內部有什麼變化，我們就會受到波及。兩位妹妹不如帶著這艘戰艦跟我們回地球去，我們自成一個第三勢力，不用理會龍族與人類的混戰。況且妳們的家人不也在地球嗎?」廖香宜搖頭說：「我們並沒有很想回去。況且事情沒這麼簡單，邦邦就在這艘戰艦上，控制舵輪引擎，主控制室的指令牠都知道，而且要牠同意才有效。你別忘了，牠是能製造九宮幻方，比人類還要高智能的生物，你能想到的步數，牠都想得到。除非牠同意，不然我們是跑不出這艘戰艦的。」眾人由開懷而爲之氣沮。

蔣婕妤皺眉說：「我們要跟牠談判，牠不可以囚禁我們。」廖香宜說：「妳們會有機會跟邦邦主人談的，現在龍族還要對人類展開另一場大規模進攻，把地球當作九九星球的中繼站，在這裡還比較安全。」何佩芸說：「我們能打破九宮幻方，那個邦邦也很意外，可見人類也有一搏的能力，何必給牠奴役？」李韻怡說：「不一樣的，九宮幻方由不同的人操控效果就不同，妳們碰到的只是由我操作的小兒科，目的在活捉妳們，如同我們使用的捕獸陷阱。倘若邦邦主人玩真的，妳們沒有存活的可能。紅二號也告訴過妳們，龍族與人類大腦的邏輯有什麼演化差異。」

袁毓真嘆了一口氣，對同行的女孩們說：「對不起，五位妹妹，把妳們都扯到了這裡。」蔣婕妤說：「不關你的事，我們是自願同行，況且龍族與人類戰爭正在擴大，其他四位妹妹也都是軍人，跟著你就有皇帝陛下的機器人保護，還比較安全呢。呵呵！」說罷開心地笑了出來，其他女孩也都笑著點頭，化解了沉重氣氛。袁毓真問廖香宜：「帛琉附近的海底基地裡面有龍族嗎？我九十歲的祖父帶機器人大軍，搶了軍方的潛水艇，說要攻佔海底基地。」沒等廖香宜回答，李韻怡歪了嘴苦笑道：「又是那個瘋老頭，那麼這次算他走運，海底基地都已經清理得空蕩蕩，只是空城一座，只是裡頭大概都浸水了，他若有本事把水抽乾，那海底基地就是他的。」

袁毓真放了心，繼續吃著滿桌佳餚說：「這裡竟然有海鮮大餐，全中式料理，還有美酒，還真完善的一艘太空船喔。怎麼稱呼這艘船？」李韻怡笑著說：「主人稱它爲『卡里嗚嗚』，我跟白私下稱它爲『宇宙魚號』，這腹艙有地球生態艙，還有龍族母星生態艙，在這裡生活其實很輕鬆愉快。住得很豪華，吃得很豐盛，還有機器人幫我們做事，不用忙著賺錢、進修、應付其他討厭的人。只需要學習龍族知識，當龍族主人宇宙探索的特種兵而已。」袁毓真說：「倘若邦邦牠把我們當成朋友，而不是牲畜，那麼我們會很開心地在這裡生活，甚至把家人都接過來。」同行的五名女孩，也都開心地點頭說是。

第五幕　關鍵變易與兩種叛逆

宇宙魚號，引擎控制室。

邦邦正透過即時立體投影，與其他的龍族怪物交談，牠周邊圍著一大堆的龍族投影，兩個、三個同時發聲，邦邦回應一聲，接著又是兩個三個發聲，邦邦回應一聲，如此不斷往返，形成有秩序的思維互通。約一分多鐘，就把該說的觀念說清楚了，結果邦邦嘰呱亂叫，大發雷霆，把通訊關閉。且在這解析一下。

這五個投影的龍族，是打算走空間路線的審判官，正在審理邦邦叛逃的罪責。先發聲的兩個，頭戴圓形大頭盔，身穿金藍色龍族套裝，爲『達達』『卡卡』爲兩隻公龍。後發聲的三個，頭戴圓錐形頭罩，身穿金綠色龍族套裝，爲『嚕嚕』、『塔塔』、『咕咕』，爲三隻母龍，邦邦則穿著金紅色套裝。其中嚕嚕爲邦邦的『同箱兄妹』，即同一窩同一批孵蛋箱，所孵化出來的。

達達與卡卡同時發聲，就是在合作闡述一種邏輯，使得訊號更加強烈，屬於龍族的一種說話藝術。達達與卡卡說：「邦邦你偷竊『卡里嗚嗚』與『天帝』，以及船上的兩個人類奴隸，造成『空間路線』宇陣器架設延後，這種行爲是對思維審判機構重大的挑戰，也是背叛種族，背叛『我神』的行爲。本機構命令你立刻歸還『天帝』、『卡里嗚嗚』以及上面的兩個人類奴隸，不然將以叛亂罪論處。」

嚕嚕、塔塔、咕咕三條龍發聲，以嚕嚕爲核心意識，塔塔、咕咕協助傳遞輔助訊息，使得語言更加震撼，大意是說：「『時間路線』已經被眾多思維學者證明，是一條行不通的路，龍族訊息以『優化訊息』爲主導，邦邦你不可以這樣唱反調。我們是同箱孵化的思維家族，我嚕嚕可以勸說其他龍族，不追究這件事，仍保有你的思維發訊權。」

邦邦獨自回答：「背叛『我神』的是所有的龍族，而不是我！地球是我們最原始祖先演化之處，同樣是自擇天翦演化氛圍的環境，只有『時間路線』才可能解決自擇過度物種的衰變現象，我在龍族思維大會時，已經把最優化的層次都表達清楚了，你們還不明白嗎？況且打頭陣回來探索地球，被人類俘虜過的是我，而『卡里嗚嗚』的設計者，是我的直系祖先，我當然有權利使用『卡里嗚嗚』以及上面的人類奴隸！至於『天帝』的機體核心，是空間轉置需要的零件，但現在已經在我手上。我倒是建議你們回去轉告所有龍族，只有聽我邦邦的，整個物種未來才有活路！」

達達與卡卡同時發聲：「贊成『時間路線』的只有你一條龍，思維學者當中也只有你一個。當初我們也聽從了你的意見，把地球當做中繼站，地球剩下的資源，拿來當作宇陣轉置使用。你的思維路徑也並不是全部被否定，沒有必要做出這種激烈行爲。另外，『天帝』是龍族的十大神器之一！你只是初級思維學者，沒有資格駕馭之！這是最卑劣的偷竊！」

嚕嚕、塔塔、咕咕三條龍接口繼續說：「思維路徑，是物種原始自擇的一種體系而已，不能全部拿來當作延續物種的唯一標準，不然就會跟人類一樣，把這當作必然的慣性，將要面臨快速滅絕的命運。邦邦你的思維已經有被考量，就不要再這樣堅持下去！『我神』給整體龍族的一個『關鍵變易』已經到來。」

邦邦回應：「當初我提把地球當中繼站，目的是要奪取時間轉置範圍，所需要的空間迴力場，是時間路線所需要，而不是被拿去當作空間路線的中繼站！你們審判機構扭曲我的思維，還敢提出來跟我辯論！至於自擇倒映成慣性形成滅絕與衰變，是一連串變易體降冪程式，思維大會的時候也已經提出詳細的解說。你們自己歪曲解讀，才是錯誤的自擇路徑。『關鍵變易』落在我的自擇範圍內，而不是你們的！至於天帝，是拿來實踐理想的工具，不是偷竊！」

雙方說話，就算針對很平常的議題，語言當中還會含蓄大量的『龍族學術思維』的輔助訊息，在此不詳細解說。

五條龍同時回答：「我們已經知道你的思維了，審判庭不得不做出判決：邦邦堅持要走全龍族都廢棄的『時間路線』，本庭將你列爲叛逃龍族。『卡里嗚嗚』與人類奴隸，本庭不在乎，你可以自行前往，但是必須完好無損地繳回『天帝』！否則就出動最先進的『剔哈蚵蚵』，將你徹底殲滅。」

邦邦聽了，基基瓜瓜大怒道：「『天帝』也是我要走時間路線的重要零件之一，別想拿回去！假設要來攻擊我，我就率領我手下的人類奴隸跟你交戰。看誰厲害！」

審判五龍之首的『達達』，嘰嘰呱呱說道：「狂龍！你以爲率領一群智能尙在『初級型態』的物種，就可以跟龍族大軍交戰嗎？別讓本庭對你下達格殺令！」

邦邦怒而反擊道：「初級型態的智能數量多了，產生曲量的變化，當中也會產生強化的智能！他們已經做出擊落『柯衣湯湯』宇宙戰艦的行爲。所以我不怕你下達格殺令，有膽子就來開戰！」嗆聲回去之後，關閉了通訊。邦邦於是眼瞼從下往上倒閉而若有所思，似乎是在籌劃下一步驟。

青龍日，首都新河洛。

才當上「英雄戰神」沒有多少天的林通貫，在軍政會議時間，通視訊電話跟元首大人說：「報告元首大人，停泊在青島軍港的一艘潛水艇，被袁毓真的祖父袁續居搶走，袁毓真極可能也參予了搶奪海軍潛水艇的行爲。」元首大人怒問：「什麼！他們才幾個人？怎麼可能搶走這麼重要的軍器武裝？」林通貫苦著臉說：「據監視錄影資料，他帶領著一大堆先進的機器人，把所有看守官兵，都電昏在碼頭上。面對這麼強大的機械軍團，又突然發動突擊，官兵們實在措手不及啊！」

在一旁行宰大人趕緊勸說他冷靜，元首大人緊閉眼狠狠地說：「上面裝載有戰略核武器，都配備著追蹤器，你應該可以查到他們現在在哪裡！」林通貫搖頭說：「他把所有核武導彈都拆掉，棄置於岸邊，目前都已經回收到海軍基地裡面。潛水艇已經無法追蹤了。」

元首大人用力拍桌大罵髒話，在座所有人都嚇一跳，螢幕面前的林通貫也縮頸低頭。元首大人發現這樣是失態，趕緊收回怒容，緩緩說：「核武器沒有遺失就好……這代表慶功宴讓官兵都鬆懈了，三軍官兵立刻收假回營加強警戒。」林通貫點頭稱是，趕緊關閉通訊去辦。元首大人閉眼不說話，會議沉默片刻。

真理部長曾有能，首先開口說：「袁毓真反跡明確，是否該對他採取法律制裁？」元首大人面色鐵青仍然閉眼不語，過了半分鐘才開口說：「立刻革除袁毓真副部長的職務與智慧四人組組員身份。並且對袁續居、袁毓真兩人下達通緝令。祖孫兩人罪名：利用副部長職務竊盜國家軍器。」會議的主任秘書立刻記下，散會後，通緝令馬上通告全國警政單位。

次日，回到別墅行館，元首大人約了賀嘉珍「同床休息」，順便把這件事情轉告她。賀嘉珍從元首大人的床上坐起，微笑著說：「您也別生這麼大氣，袁毓真就是傻人一個，他祖父則是瘋老頭。我聽一個跟著他的女兵傳給我的電子信件說，他不滿意琉球之戰的功勞評鑑，才回去找他祖父。」元首大人冷冷地道:「不滿意功勞評鑑,難道就可以搶奪海軍的潛水艇嗎?」

賀嘉珍溫柔地說:「他只是一個沒有心機,衝動的年輕人,他祖父則是關在家裡三十年的自閉科學家。當然容易犯下錯誤,希望您在依法通緝他們的時候,告知下面的人,別傷害他們,法律不外乎人情嘛。」一邊說著邊幫元首大人穿上衣服。他回答道:「好吧!看在妳的面子上,只要他們能把潛水艇歸還,把機器人製造方式交給國家單位,我就赦免他們的罪責,還給他們一大筆獎金。不過這兩人絕對不能用,袁毓真復職是不可能的。」

說罷元首大人自行下樓到浴室,又有十幾個女人幫他寬衣沐浴,並打開浴室視訊牆,收看新聞秘書傳來的網路消息。裡面有一則「華夏文明國皇帝,下旨通緝僭僞元首大人」的消息。這在網路流傳得很廣,已經很多人看到,所以新聞秘書無法隱瞞,而將之列入檔案給元首大人看。

元首大人瞪大眼睛,指著身旁其中一個穿泳裝服侍他的女子說:「把聲音給我開大點!」她趕緊依令而行。

背景先是機器人在海底基地,對老頭子袁續居三呼萬歲,然後老頭子宣佈佔領廢棄的龍族海底基地。而後面對螢幕說:「今日朕聽聞,僭逆元首下達通緝令,通緝朕與皇孫袁毓真,此實乃狂悖大謬之行。華夏文明國業以於今年春節時成立,在泰山封禪,祭祀華夏列祖列宗,公告天下萬民,朕已爲炎黃子孫之正統無疑!爲國家抗擊龍族怪物入侵之中堅!而僭逆元首竊奪我皇孫在琉球之戰的功勞,妄加歪曲事實,意圖占我祖孫基業。冥頑卑劣之甚,屈髮難數！劣行惡跡之過，罄竹難書！乃罪大惡極之匪酋也！」螢幕還打上了字幕，九十之叟滿臉皺紋與白鬍，卻仍瞪大眼睛怒目相向。

又接著道：「豈有僭逆通緝正統之理？朕爲正人心、靖浮言、伸公論、明是非，立刻傳旨，對僭逆元首下達通緝令，凡活捉此人歸案者，封萬戶侯爵！指揮一隊機器人大軍。」於是螢幕左下角，打上了元首大人的正面照片。最後說：「若僭逆懺悔自首，於媒體向朕與皇孫道歉，朕可大赦爾罪。否則定斬不饒，欽此！」於是坐回特製的龍椅，接受機器人們繼續呼喊萬歲。元首大人看了此，怒氣攻心，用力拍水，旁邊的女子們都嚇退幾步，他對著螢幕罵：「狂人！你以爲率領一群笨拙的機器人，可以跟整個國家軍隊交戰嗎？別讓我對你們下達格殺令！」

巧的是元首大人才罵完此句，老頭子又在螢幕補充說明：「我的機器人數量大增，還有大量的人工智能，已經做出搶走海軍大型核潛艇的行爲。所以我不怕你僭逆對我下達格殺令，有膽子就來開戰！」說罷坐回龍倚，關閉視訊。

元首大人冷笑著說：「好，你們祖孫既然存心找死，那就別怪我。」轉而緩和地對女子們說：「關掉螢幕，繼續幫我按摩。」

龍族叛逆挑戰龍族機構，人類叛逆挑戰人類元首，這兩股叛逆勢力能成功嗎？龍族又會繼續進攻人類嗎？賀嘉珍的計畫是否還會執行？袁毓真命運又將如何？欲知後事如何且待下象分解。

第十五象　三胞洋妞應徵職位伺機密
山城酒宴影視明星勞軍來

第一幕　西洋女孩

二月三日，袁毓真等人享用美酒佳餚與宇宙美景。同一時間，首都新河洛郊外，紫頂科學研究所，傍晚五點。

話說被激怒的元首大人，對袁續居與袁毓真發佈全國通緝令，而對於特勤廠長手下的『影易特務組』改下達格殺令，若無法生擒，可以視狀況立刻格殺這一對祖孫。

一位西方白種女子，身穿西式白色皮革製短領長袖服，搭配套裝白長褲與高跟鞋，體態優雅地沿著中央走道向研究所走去。她身高一米八左右，身材苗條，曲線完美，胸峰比東方女子高挺，藍眼金髮，髮型本來捲曲而刻意疏直，綁成髮辮之後盤在後腦勺上，使人感覺成熟豔麗，臉型輪廓比東方女子略深，美貌傾人，性感十足，看似只有十七八歲的年齡，即便是東方的男人，也一看爲之動心。兩側的古典宮燈經過特殊設計，任何西方人第一次見到，都不禁會多看幾眼，然而這西洋女子卻神情冷酷，不爲紫頂研究所周邊的美景設計所動。

女子進了門，看到大門口警衛，開口就是一句標準的中國話：「我找楊中行士，是先前跟他約好見面的美國小姐。」警衛通報了在樓上的楊恒萱，然後讓女子上樓去，警衛對於忽然有美麗的西洋女子進門，也頗爲好奇，不禁望著她走進電梯。

會議室門外，楊恒萱與她握手寒喧，這已經是今天第三位應徵者，只是因爲她是外國女子，所以楊恒萱特別在門外寒喧。先用英語跟她打招呼：「小姐妳好，遠從美國來這裡，就這身輕裝打扮嗎？」反而是克莉絲蒂娜，欠身行禮用中文說：「逃難來中國，人能夠安全就萬幸了，感謝楊先生願意錄用我。」聽她會說標準中文，那麼楊恒萱也開口用中文回應。

楊恒萱請她進會議室入座，隨意問：「家裡的人都安頓好了嗎？」蒂娜點點頭：「父母親都在河北租房子暫住，我一個人來新河洛應徵。」楊恒萱打開了卷宗夾，嘆口氣說：「『歐美聯盟組織』的所有國家，都淪爲龍族總攻擊的主要戰場，中國也跟牠們接上火了，不知道何年何月，我們也會跟妳們一樣淪爲難民，到時候我都不知道該逃往哪一國哩……」她微笑了一下答道：「中國不是在琉球島上打勝仗了嗎？而且楊先生不就是對付龍族怪物的重要人物嗎？世界人民不分種族，都到了救亡圖存的關鍵時刻。希望我的一點微薄之力，可以幫得上忙。」

楊恒萱呵呵一笑，仔細閱讀卷宗裡面，克莉絲蒂娜寄來的履歷表。看過之後頗為驚訝，瞪大眼睛看著她說：「克莉絲蒂娜．羅根小姐，妳才十八歲，就受過女特種兵訓練，拿到電腦工程特級執照，還懂三國語言，熟知中國歷史……這匪夷所思啊！」她微笑著點頭說：「從小父母親要求嚴格所致，父母親都是中國迷，很喜歡吃中國菜以及各種中國文化，所以這並不奇怪。」

楊恒萱又疑惑地問：「妳這麼年輕漂亮又優秀，在我這當女秘書，不會感到屈就了嗎？」回答道：「本來我是在美國軍方服役的，打算服役期滿去應徵拍電影。可是龍族戰爭爆發，我的單位幾乎全軍覆沒，戰況慘烈，每天都見到死人，父母親替我們全家生命安全著想，一同遠渡中國避難。能找到工作，讓全家安定下來已經很欣慰，沒有屈就的問題。」

楊恒萱點點頭，誠懇地說：「聽了真慚愧，我過了年都四十六歲啦！能耐還不如妳這一個美國少女，能看得起我非常感謝，那我就先介紹本單位的任務給妳認識。」這代表已經錄用克莉絲蒂娜，於是從智慧四人組的海底基地開始，講述到策劃琉球之戰，以及分析龍族科技，與研擬新兵器、新戰略等各項任務。

同一時間，真理部次易思維開展局。

一個與克莉絲蒂娜，長相、身材一模一樣的西洋女子，甚至衣著型態與髮型，都一模一樣，穿著紅顏色西式皮革服裝，走進次易思維開展局，手拿著真理部外聘人員錄取表單。次易思維開展局局長，都是由真理部副部長兼任，袁毓真還沒有來這裡摸熟環境，就已經被革職。而這西洋女子卻拿著袁毓真批准的公文，來這裡擔任外聘人員。曾有能本來一見袁毓真批准的公文就討厭，必然是否決的，但看到了這西洋女子長相如此年輕貌美，身材如此誘人，馬上就轉變了態度。

曾有能親自帶領她坐電梯，進到部長辦公室，入座之後把公文擺到桌上，看著表文上她的身分背景，露出和藹地笑容說：「原來是克莉絲蒂娜．羅根小姐，十八歲，美國紐約人，身高一米八，五十六公斤，懂英文、中文、德文三國語言文字。接受過女特種兵訓練，擁有電腦工程特級執照，興趣是閱讀世界歷史叢書，熟知中國史，資治通鑑看過兩遍，最喜愛的書是中國哲學經典『莊子』。」

唸到這裡，曾有能的眼神轉而有些色瞇瞇，和氣地問：「克莉絲蒂娜小姐，妳怎麼會來中國？」答道：「本來我是在美國軍方服役的，打算服役期滿去應徵拍電影。可是龍族戰爭爆發，美國本土陷入戰火，我的單位幾乎全軍覆沒，父母親替我們全家生命安全著想，一同遠渡中國避難。」曾有能露出了一絲奸笑，但很快就轉變臉像，恢復正常的表情。轉而問：「妳怎麼會有袁毓真的印鑑批文？妳可知道他現在已經成了通緝犯？」

克莉絲蒂娜，吃了一驚，瞪大眼表情驚訝地說：「通緝犯？我不知道啊！大約九天之前，我剛來中國三天，在網路上應徵工作。傳檔案到貴單位，然後就回函批印鑑給我，我雖然看得懂中文字，但是印鑑上頭的字彎彎曲曲，好像是古中國文字，我不認識上頭是誰的印章啊……」原來只是琉球之戰前，袁毓真在部會裡面批公文蓋出去的，曾有能放了心，急忙安撫她道：「喔！不懂篆文。不要緊，我理解了，這件事情跟妳無關。既然妳已經受到錄取，自然會幫妳安排適當的工作。」從未見過這麼漂亮的西方女子，曾有能內心不由得產生了邪念，但是依照法令，外國人不能擔任國家公職，只好轉任她爲，特職聘用的秘書室主任，能掌握的機密，比經過層層考核的公務員還要多。

又同一時間，海南島趙氏集團，科學器材研究所。

又一個與克莉絲蒂娜長相、身材、髮型、體態一模一樣的西洋女子，身穿西式褐色皮革製短領長袖服，搭配套裝褐色長褲與高跟鞋，一步步走進研究所人事應徵室。接待的職員頗爲訝異，竟然是一個年輕漂亮的洋女子來應徵，按照趙仰德董事長的規定，趙氏集團只要有年輕女性來應徵工作，一律由董事長親自『考核』。職員打了電話通知趙仰德，剛好趙仰德人在海南別墅，從監視器看到了一位漂亮洋妞來應徵，馬上驅車來到研究所，但是外表卻裝成剛從外地回來，很是忙碌。

兩人在董事長辦公室坐下商談，趙仰德才坐下，就已經篤定要錄用此女子，但是還要做做表面功夫，以免露出心跡。拿了她呈上來的履歷表，擺放在辦公桌上，煞有其事地看了看，咳了一下，緩緩地說：「克莉絲蒂娜．羅根小姐，十八歲，美國紐約人，身高一米八，五十六公斤，懂英文、中文、德文三國語言文字。接受過女特種兵訓練，擁有電腦工程特級執照，興趣是閱讀世界歷史叢書，熟知中國史，資治通鑑看過兩遍，最喜愛的書是中國哲學經典『莊子』。」然後抬起頭看她，和藹微笑地說：「妳還真的讓我自嘆不如啊，我身爲中國人，莊子這本書我竟然只聽過，還沒看過，更別說資治通鑑了。」

克莉絲蒂娜坐在董事長辦公桌對面的沙發椅，優雅地將右腿翹在左腿上，開口就是標準中國話：「趙董事長謙虛了，您是國際知名的金主，財富列位於世界十大富豪之內，懂的事情一定比我多。唐朝的韓愈說：『聞道有先後，術業有專攻，如是而已。』」

一開口就是唐宋古文八大家的名句，頗讓趙仰德驚訝，站了起來走到她的面前，色瞇瞇地說：「我們趙氏集團旗下所做的行業甚多，從拍電影、演藝歌舞、科學儀器製造、科學理論研究、房地產投資、股票期貨經營等等二十多項。妳喜歡哪一種？」

她才要開口回答，趙仰德馬上又搶先說：「妳受過特種兵訓練，是不是會中國功夫？」她微笑著點頭。趙仰德神情越來越像一隻豬哥，眼睛的形狀已經快變成倒月形了，微笑著說：「如果讓妳當我的女保鏢可以嗎？」她搖搖頭說：「報告董事長，我對於科學器材研究比較有興趣，履歷表上我也有寫說，擁有電腦工程特級執照，希望能參加您的龍族科技研究單位。」趙仰德問：「這是我開設與國家單位合作的公司，妳怎麼會對科學器材有興趣呢？那種工作薪資最多五萬一個月，假設當我的保鏢，每個月五十萬，還另外有勤務獎賞調整金喔！」

克莉絲蒂娜笑了笑，搖搖頭說：「本來我是在美國軍方服役的，打算服役期滿去應徵拍電影。可是龍族戰爭爆發，美國本土陷入戰火，我的單位幾乎全軍覆沒，父母親替我們全家生命安全著想，一同遠渡中國避難。龍族戰爭摧毀了我的家園，我希望能替人類對抗龍族的戰爭，有一些貢獻。」趙仰德瞇著眼睛微笑著說：「喔！我還沒見過這麼令人欽佩的女孩，妳讓我們中國的女子都要汗顏了。倘若讓妳跟夢彤夢蘿，一起參加勞軍表演團呢？我們國家的軍隊正在與龍族打仗，也算是另外一種方式對抗龍族，還能成爲公眾人物，薪水跟女星一樣喔。或是要我資助妳拍一部電影？」

總是用名利誘惑，找機會跟她親近，克莉絲蒂娜看出了他的心思，微笑著說：「薪資多少不是問題，主要是我現在對龍族科學有興趣，當然趙董事長這麼愛護我，我非常感謝，假設能讓我入您的『龍族科學器材研究單位』，我願意下班後，常常陪您吃飯聊天，跟您報告我的工作成果。」最後一句話正中下懷，趙仰德哈哈一笑，自然一拍即合，立刻錄用，馬上成爲龍族科學器材研究單位的主任秘書。

第二幕　編賦次行

次日二月四日晚上，歡樂部十三號別墅。楊恒萱帶著克莉絲蒂娜．羅根，與賀嘉珍見了面，三人坐在別墅游泳池旁。

楊恒萱嘆口氣說：「歐洲各國被龍族打得大敗，剩下北美的美國與加拿大還在抵抗，但總的來說，歐美聯盟現在狀況很危險，世界其他國家也沒有躲過災禍的。竟然短短時間就可以造成這種結果。但現在我國的軍方還沉醉在琉球之戰的小勝當中，元首大人也還有精神去通緝袁毓真和他九十歲祖父。我怕我們所建議的方案，可能會被擱淺。」

賀嘉珍說：「保家衛國是我們知識份子的責任，只能說盡最大努力去做，元首大人那邊我來負責……畢竟他現在很信任我。但你的戰略方案當中，從慧摹卦延伸的計畫有成果了嗎？」

楊恒萱遂令克莉絲蒂娜拿出隨身電腦，投射到游泳池旁邊的大螢幕上面。螢幕上展示了一系列，他依照海底基地、宇宙魚號、琉球之戰等等袁毓真蒐集或軍方蒐集的各類兵器，各類戰鬥訊息，所延伸出來的新武器與新戰術概想。光介紹新武器設計圖，就花費了一個小時，但賀嘉珍都全神灌注在聽。接下來就是對付龍族的各種新戰術概念，又花了半小時，之後賀嘉珍還頻頻發問。最後拿出一個皮箱，放出一台自動機器人，這是琉球之戰俘虜的龍族自動兵器與袁毓真手下的機器人，拆解而改造成一個會聽人話的戰鬥機械獵犬，如設計圖的功能介紹。

賀嘉珍笑著說：「楊大哥果然是才華過人，這份資料，以及這台新武器，我會轉交給元首大人轉達的。」楊恒萱搖搖頭說：「關鍵還不是這表象的成果，而是『編賦次行』的核心問題。本來希望四人小組延伸出一個新組織，不受龐大的官僚體系限制，而能反饋國家體制。這種表象的成果，能不能在大局面當中發揮效果，就在於運行它的獨立活動體系，有沒有受到干擾。但是看到袁毓真被通緝，蔣小妹妹跟著他不知去向，我看這條隱藏演變的路徑，是辦不到了。而且妳剛才看到的成果，要不是袁毓真、蔣小妹還有妳，幾次去接觸龍族怪物，我還研制不出來呢。」賀嘉珍嘆口氣，緩緩地說：「計畫總是比不上變化，難怪次易原理編賦卦，強調編賦次行。環境本身就有這種編賦次行，面臨環境變化挑戰的我們，若是無法跟著辦到，那就又多了一項不可控制的危險因子。」

楊恒萱問：「妳能勸元首大人收回通緝令嗎？不然我們永遠找不到他們兩人了。」賀嘉珍搖頭說：「我勸過了，但是他不是無條件的，除非這對祖孫拿出自身的研究成果。」楊恒萱的佈局雖然失之於袁毓真，卻得之於賀嘉珍，至少在元首大人那邊，還有賀嘉珍可以辦得通一些事。只是對於編賦意義喪失功能，都頗感嘆。

賀嘉珍忽然看著克莉絲蒂娜，微笑著說：「懂中文的外國人不少，但聽楊大哥說妳不只熟知中文，且熟讀中國歷史，資治通鑑看過兩次，這樣的西方女孩還真少見呢！」克莉絲蒂娜也笑著說：「我父親與母親都是中國迷，父親還在歐美聯盟軍方當過中國專家，從小我就跟著他學中國文學、歷史、哲學。甚至次易數學統制，我也有些涉略。這真的不奇怪。」

楊恒萱說：「羅根小姐可是能文能武，除了剛才說的之外，武打、射擊、電腦程式撰寫、開飛機甚至使用重兵器都會。當初她還想要去拍電影，我反而認為這大材小用了。」賀嘉珍笑著說：「是啊！現在這時代，影視歌星都可以用影音合成技術代替，妳這麼漂亮又有才華，跟著我們一起對抗龍族，歷史留下記錄，生命得到更多的意義，好過當大眾偶像，更好過當有錢人的玩物。」

第三幕　眞理宴

工作連續三天，在眞理部的克莉絲蒂娜，已經成爲部會內的美談，曾有能藉著職位之便，在部長辦公室內拚命吃豆腐，連續拉鋸了三天的心理戰，終於進入最高潮。

曾有能站在她辦公桌邊，手靠著克莉絲蒂娜肩膀，語氣溫和地說：「怎麼妳那麼快就把事情辦完囉？」克莉絲蒂娜抬起頭，斜了眼看他，用嬌靦的神情，性感的語氣回答說：「這些都是簡單的小事，誰叫部長大人不給我一些困難的工作呢？」曾有能露出一絲詭異的笑容說：「有些事情不敢麻煩妳囉。」

克莉絲蒂娜歪斜了肩膀，把他的手移開，故意轉而冷漠說：「我既然來這裡工作就是盡心盡力，不會嫌煩嫌累。我看部長大人不是不敢麻煩我，而是把我當作外國人看待，很多事情怕我知道吧？」

曾有能皮笑肉不笑地，又把「豬手」輕放在她擺在桌上玉手說：「妳想太多了，我豈是那種心胸狹窄的小人？工作累了一天，且不提工作。晚上我主持了部會裡面的餐敘，就在頂層大樓的餐廳內，妳有空的話一起來吧。」克莉絲蒂娜沒有移開手，又轉而語氣嬌靦說：「不成啊，這種層次的餐敘要副局長以上的人才能參加，我只是剛來三天的外聘小秘書，怎麼能參加這麼高檔次的宴會呢？」

曾有能見此機可趁，就稍微用點力氣握住她的手說：「秘書已經很大了，可以說是部長的代表，我說妳有資格參加，妳就有資格參加。」克莉絲蒂娜輕輕地「嗯」了一聲。這一聲別看沒大不了，誠可謂淺表同意，深引色心，入之於不言會意之中，發之以無語選擇之形。果然，曾有能臉上青筋跳動，逐漸把另外一隻「豬手」也摸將過來。

正在曾有能內心欲火激發時，克莉絲蒂娜忽然轉變語氣，顯得有些無奈地說：「可是其他人會把我當做你的地下夫人，才來幾天就掀起謠言，不太好吧？」曾有能說：「怎麼會呢？不然今天晚宴我多找一些女性一起來，妳可以藉著跟她們聊天來轉移注意。」回答說：「我畢竟是外國人，金頭髮藍眼睛，怎麼躲開人家注意？除非我真的表現出，有真材實料的工作能力。可惜我是外聘的人，你不會讓我涉及重要工作的。」曾有能呵呵一笑，和氣地說：「好吧，我讓妳看一樣計畫，請妳一起參予工作，假設做出成績，那麼我就可以名正言順地讓妳當專職的職員。」於是從保險箱拿出一台電腦，克莉絲蒂娜起身靠過去看。

曾有能故意拿手遮住她的眼睛說：「先答應我兩件事，才給妳參加。」克莉絲蒂娜笑了笑，說：「好啊快說。」「第一，不能把裡面的資料複製出去，所以妳不可以帶記憶體器材進來，只能在我在場的時候，討論這機密。第二，不可以跟不相干的人說，造成機密外流。」克莉絲蒂娜拿開他的手，嬌柔地說：「知道了部長大人，我怎麼會破壞自己的生計呢？」於是打開了電腦，裡面裝載各項新武器研發計畫。另外還有跟元首大人的開會記錄，大致是：獲取星際航行技術的行動方案，以及對付龍族的戰略等等。

趁著曾有能到專用廁所幾分鐘，克莉絲蒂娜左手食指液化退去，變成一個電腦連接端子，如同夢彤夢蘿的功能一般，把端子插入後所有機密資料，快速複製到大腦裡面的硬碟當中，然後恢復原狀。曾有能從廁所出來，只發現她隨意瀏覽電腦而沒有任何異狀。

宴會來了數十人，吃吃喝喝自然不在話下。克莉絲蒂娜應付了一些與會人員，走入廁所張開嘴，把吃喝進去的飲食都吐在馬桶內沖走，還打開皮包內罐裝清洗劑吞入，清理人工食道，原來她只是一個精緻如真人一般的機器人。

第四幕　雙胞疑雲

二月七日，公定放假日，新河洛磁浮車站。

車站廣播：通往青島列車將在三分鐘後啓動，還未上車旅客請盡快上車。

楊恒萱提著皮箱上車，乘坐在普通的包廂內。之前依照龍族兵器改造的戰鬥機械獵犬，還只能作簡單的戰鬥行爲，智能程度還不足判斷複雜形勢，也不能作精細的工作。所以臨時決定到青島去找一位器材力學專家，研討這種仿造的初級人工智能，如何更精確運作在實體機械力學上。此行並沒有告知克莉絲蒂娜。

開車十多分鐘後，在車的斜前座，看到了一個身材跟克莉絲蒂娜一模一樣的女子，因爲金髮碧眼而特別引起他的目光。心思：(我不是安排她這兩天假日，都要在紫頂科學研究所代替我辦事嗎？怎麼會在這？）又想是否只是身材相似的西洋女子，剛要上前一探究竟，臨時打住，轉而向後車廂走入廁所。無線通訊秘書克莉絲蒂娜，磁浮車廁所內非常安靜豪華，故稱自己還在新河洛某餐館，從視訊螢幕中發現，她確實還在紫頂研究所工作中。

藉故交代一件事情，關閉視訊走出廁所回座，拿出皮箱取物，戴上帽子與口罩，外加一個墨鏡，隨著車上其他人，往返車廂前後，以瞧視此女子，發現她竟然長相也一模一樣。回座之後心懷疑慮。第一、在資料上沒有說她有姐妹。第二、即便只是樣貌相似的巧合，服裝怎麼也訴求這麼相似，而且同樣都來自中國新河洛。第三、任何相貌相似之人氣質也必有些差距，怎麼兩人像是同一個模子澆出。

現在在楊恒萱心目中，出現一種思維衝突，是一件細微奇特的觀察分析事件，要跟常態認知的慣性挑戰，一般人必然服從於常態認知的慣性，把這件事情當作巧合，或是直接上前盤問。然而受次易等價觀念洗禮的楊恒萱，自擇觀察出來的思維，與常態大家認定的慣性想法或稱經驗給予想法，兩者是相對且等價的。

楊恒萱先把這觀察當成『事件』，而後判定：巧合不能說沒有，但是跟『事件』背後有未知文章相比，後者有比較大的權重。人類的思維缺陷，在於見到一事件必然跟過去的經驗或稱已知來對比，在被動的選擇中，必然給予符合過去經驗的事情，較大的權重，而不符合過去想法的事情減輕其權。而對於遭遇陌生狀況，必須產生主動選擇的時候，做出來的判斷與行爲模式，也都是用過去的經驗加以修改來塑造，這也就大大限制了自擇的能力。古今中外所有人類行爲皆如此，故雖擁有智能，亦必然受法則之宰制而盛衰起伏，如其他物種一般。楊恒萱深知這種習慣，不符合次易的等價意義，所以判定『事件』背後有文章的可能性較大，而巧合的機會較小。

忽然感到一陣背脊發涼，倘若背後有文章，那麼在紫頂研究所的那個克莉絲蒂娜到底是誰？楊恒萱仍然沒有拿下口罩與墨鏡，深怕斜前方的洋女子站起來往後走，便瞧見了自己。

假設情況真的不是巧合，那到底背後的文章是什麼？是以作出了三種猜測：第一，袁毓真在海底基地就用過人工智能，只是那些機器人並不那麼像真人，但是他祖父已經有人工智能的製造能力無疑，這很有可能是他們祖孫製造的，目的在觀察通緝的風頭。第二，這是龍族製造的，目的在當間諜。第三，歐美聯盟製造的，因爲他們先跟龍族交上火，可能得到更多的技術，目的是派來中國當特務。

在這種局面嚴峻而事態詭異的環境中，只有瓦解過去部份的經驗慣性，將之靈活轉化爲自擇形式，才有較大可能，尋找到未來的生存機會。也就是過去演化史短暫的物種中，反而越需要更加快變化，瓦解塑造的慣性。是故不管是那一種可能，甚至這純粹只是巧合，楊恒萱也不打算把這種懷疑曝光，反而計畫要一窺究竟，找到有利於自身的方案。

第五幕　山城勞軍

真理部的克莉絲蒂娜，要套出曾有能的機密，還需要花費一番心戰功夫，而潛伏在趙仰德身邊的克莉絲蒂娜，才工作一天就半推半就陪床，而趙氏集團與政府合作的龍族機密檔案，都很快地被複製完成，趙仰德竟然還不知情。

就在雙胞疑雲兩日後，二月九日晚上，因為歐美聯盟不斷求援，大東北庫頁島山城，聚集了支援北美的中國海陸空大軍，但是軍隊聚集卻不出發，反而日日笙歌。任外頭還有些冰雪，營區晚會廣場仍然擠滿了官兵聽歌舞秀。『夢彤與夢蘿』繼續依靠影音技術，粉墨登場，從民間唱到軍中。

類似於新河洛的舞台，背景舞光十射，投射出一系列琉球陸海空戰爭剪接影片。夢彤對著底下興奮的官兵們說：「首先我們帶來一首『衝刺吧！勇士』，紀念琉球陸戰中所有官兵，大家說好不好？」底下當然是一片叫好。於是夢彤首先開唱，而夢蘿伴舞。開頭以女性的歌喉拉高調，但是卻不減雄渾的氣音，亦足以讓人熱血澎湃：「黃沙蕩蕩，吹過了東海浪，血光淌淌，溢不進心胸膛。勇敢鬥士挺身戰龍族，破敵制勝復土安家邦。追追追！追上怪物群獸！衝衝衝！衝出光砲火牆！戰戰戰！戰勝強敵異類！破破破！破敵制勝長揚。興我大漢，合我天威，一戰名聲望。」

跟之前新河洛一樣，底下的官兵也都很興奮，不過對於女星的相貌，似乎更加地著迷與癡醉，官兵們手持各類夢彤夢蘿的海報、宣傳照，揮動著隨之起舞。唱了好幾回合，夢蘿隨而接口，唱一首『哲學家』抒情歌：「我想我是一個哲學家，可以參透孤單的假相。不要人問，不要人猜，不要人管，不需要那麼忙。如果我是一個哲學家，看一本書，走一段路，逛一個美術館，聽一首歌，過一條河，喝一碗綠豆湯，左思右想，世界原來那麼不一樣！時間它停止了嗎？我想像未來，我捏出一個大約的模樣！」詞曲影音的類別都不同，官兵們仍然如癡如醉，不管她們唱什麼都會予以支持。

趙仰德在這方面的功夫是老經驗，在這種情境之下不會上台出風頭，而讓元首大人的代表，行宰大人在台上說話。

行宰大人帶著所有司令官，在台上激勵士氣，喊道：「經過琉球之戰，已經證明，人類可以戰勝龍族，我代表元首大人，向陸海空宇四軍弟兄，宣達我們跟龍族血戰到底的決心……」說得是信誓旦旦，慷慨激昂，底下官兵們也是士氣高漲，但是對於何時主動出擊卻矢口不提。

喊話完畢，任就當作務結束，眾官員就離開現場，等一下舞台還要繼續表演新一輪的舞台特技，大家還要繼續狂歡。趙仰德跟著行宰大人與眾官員身邊，嘻嘻哈哈阿諛奉承，送走這些大官，陪他們去吃喝玩樂。

趁這段歡樂期間，克莉絲蒂娜待在趙仰德租的豪華旅館內，使用趙仰德的私人電腦，如同真理部的情況一般使用手指轉換的端子，下載裡面的所有機密資料。從南十字星計劃開始，到配合政府製造各類新式武器，獲取人工智能與星際航行計畫等等。大腦中的伺服器裝置，立刻無線連網，把資料傳送到特定的電子信箱裡面，忽然電子信箱當中有一封留言，給這裡的克莉絲蒂娜：「庫頁島地區，在三天內將受到攻擊，必須在此之前離開。」克莉絲蒂娜已下載好所有資料，且把資料也都傳送，遂將電腦放置於肩包內，往外走去。在一面移動當中，三個克莉絲蒂娜利用現有的無線電話系統，相互連線，建立一個虛擬的綜合思想指示器，必須是三個機器人相互連通才能產生的『新自主意識』。從而除了信箱給的最高指令，還有一個總體協調具體行動的虛擬核心，從而讓擁有自主意識，且各自行動的機器人，不會因而產生偏離主旨命令的行爲。

新自主意識產生綜合訊息：一號機通知趙仰德，以身體不適爲由遠離庫頁島返回海南島的情況下，二號機去青島海軍觀察行動停止，返回新河洛，探索真理部區域網路當中，有沒有軍隊調動的訊息，若有則行動完成，若無則潛入總參謀本部的區域網路，探索部隊調動情形，以上爲『甲程序』。在甲程序執行當中，三號機連絡楊恒萱，告知龍族戰爭現況，詢問他現在身在何處，並請他盡快回紫頂研究所，以上爲『子程序』。兩種程序都達成，那麼『甲子』完成。二號機在探索軍隊調動期間，置入電腦病毒隨時將內部資料與連線，傳送至信箱本部，此爲『乙程序』。『甲子』程序因變化而不完成，那麼就改用各自的電腦意識，視情形返回工作崗位，此爲『丑程序』。『乙丑』不存在，那麼就重新從『甲子』程序計算。

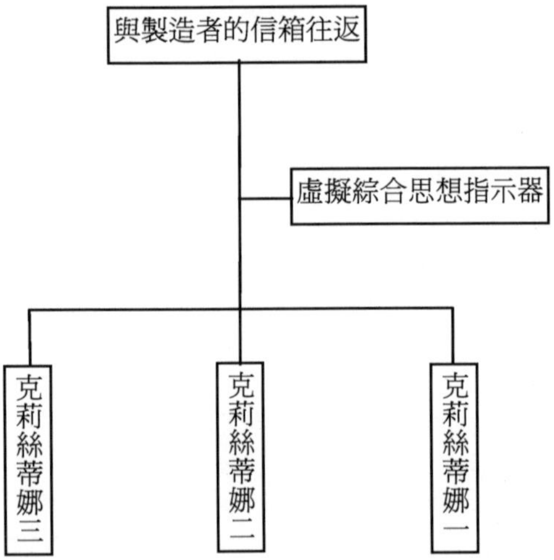

三個相同的克莉絲蒂娜機器人，到底是誰派來的？竊取的機密將會對國家產生什麼威脅？龍族真的會全面進攻中國了嗎？欲知後事如何且待下象分解。

第十六象　兩雙域固作戰計畫諜對諜　超級戰艦猛攻列島陳宇陣

第一幕　刺探

話說紫頂研究所的克莉絲蒂娜執行程序，主動連絡楊恒萱，楊恒萱不說自己在青島，假稱在其他地方辦事，但仍應其要求，返回紫頂研究所。楊恒萱按下自己的疑慮，繼續與克莉絲蒂娜討論龍族戰爭的現況。

二月十日，元首大人府邸會議室。

元首大人單獨接見楊恒萱與賀嘉珍兩人，開心地道：「楊中行士發明的『戰鬥機械獵犬』對國家是重大的貢獻，目前已經交給兵器製造局，展開量產計畫。之後對付龍族的戰爭，有了這人工智能的戰鬥兵器，那麼對付龍族就有底氣了。」對楊恒萱稱讚不已。

楊恒萱看了看賀嘉珍，微笑地說：「感謝元首大人，這是『智慧四人組』共同的功勞，我不敢居功。」元首大人也看了看賀嘉珍說：「嗯，你們兩人我都會記功的。」沒想到楊恒萱打斷他的話說：「不是我們兩人而已，而是智慧四人組的全體功勞，尤其今天沒在場的兩人，他們也功不可沒，相信賀總參士已經有把我研究的過程，告知元首大人了。」

提到袁毓真，元首大人內心就一股無名火，但是確實沒有辦法反駁，遂轉變話題道：「戰略宇宙軍昨天發射一枚新的偵測衛星，雖然這枚衛星很快就被擊落，但發現了北美洲大批的龍族海空部隊，正往我國的大東北地區移動，庫頁島與東瀛四島，必然首當其衝，關於戰略部署，你們有什麼看法？」楊恒萱說：「這問題我與賀總參士，先前已經報告過了，不外乎強化『域固蠶變』的時義。」說罷看了賀嘉珍一眼，她心領神會接口道：「談起『域固蠶變』，倒是有一個人可以協助我們。」元首大人問：「誰？」答道：「就是袁毓真的祖父。」

又把話題繞回來，元首大人「哼」了一聲。賀嘉珍反過來看了楊恒萱示意，楊恒萱拿出自己的隨身電腦說：「請元首大人先別動氣，據我所知，他已經有製造人工智能的能力，而且所造出的機器人，外觀跟真人沒有區別。」於是把電腦連接影音傳輸機，會議桌對面螢幕出現數張照片，第一張是克莉絲蒂娜的外觀照片，繼而顯現的是用特殊透光相機，穿過型體內部的照片，骨架明顯與正常人有所差別，除了眼部是機械板面，關節處更可看見機械銜接。

元首大人見了頗為吃驚，走到螢幕面前仔細端倪。約莫兩分鐘，眼睛仍盯著螢幕開口道：「你怎知道這是袁毓真的祖父製造的？」答道：「這幾張照片是我向青島科研人員，借來的特殊相機所拍。起初我也不敢確定這西洋女子形體的機器人是誰製造。然而我電腦當中有自我放置病毒，誰私自下載了當中的機密檔案，隱藏的病毒會跟著植入對方的系統。只要該系統連接網路，病毒就會快速地將對方資料，回傳到我的信箱中。我分析了當中訊息，發現是女機器人下載資料給袁續居的。」

賀嘉珍說：「這機器人看上去跟真人無異，可以做很複雜的事情，這種技術跟機械獵犬相比，高明很多。」元首大人回過頭，手仍指著螢幕道：「立刻把這機器人抓回來研究，這對龍族戰爭有很大的幫助！」楊恒萱吃驚地說：「不好吧？這樣做恐怕節外生枝……不如請袁續居……」元首大人板起臉孔打斷他說：「不行！我已經決定，不用再多說了！除了剛從兵器製造局生產的十台機械獵犬，我還加派警察單位與特勤廠的『影易特務組』，全部歸你們指揮，即刻把這機器人抓回來！」

他已經把這當作，跟袁續居之間的私事，如此堅持兩人也只好聽命辦事。

第二幕　激戰紫頂之巔

二月十一日一早，楊恒萱與賀嘉珍乘著一台廂型懸浮車，到了紫頂研究所外坐鎮指揮，同時來了數十名全副武裝的警察與十台機械獵犬。

懸浮車落地停下之後，來了一名男子，年約四十出頭，面貌粗野兇惡，左臉有疤痕，披頭散髮，身穿青色改版漢服，語調粗俗，隔著車窗跟楊恒萱說：「我是『影易特務組』組長，奉命參加這次圍捕行動，請兩位長官下達指示。」

兩人同時對這種鄙氣之人產生反感，楊恒萱微笑著問：「請問姓名？我該怎麼稱呼閣下？」散髮鄙俗男子，搖了一下頭說：「事關公務機密，稱呼我『老曲』便是！」楊恒萱淡淡一笑，心思：（哈！元首大人的個性與為人，對我們而言都已經不是機密，你一個馬前小卒的姓名，竟然在我們面前稱機密？）也不跟他強問，打開車上的隨車螢幕，顯出一系列照片與名單，然後看著道：「曲縱橫，原名曲繼揚，今年四十一歲，山東省人，影易特務組組長，下轄十二影肖，特工任務戰功彪炳。」然後抬頭，扯皮微笑道：「老曲，你十二個手下的名字我就不用唸了吧？」曲縱橫面色緊繃，臉上青筋跳動，勉強點頭說：「請長官指示工作。」

於是眾人就定位埋伏，而後楊恒萱打電話請克莉絲蒂娜出門，當她走上門外走道，埋伏的警察舉槍一擁而上，為首的警官大喊：「高舉雙手！不許妄動！」克莉絲蒂娜見到十幾把槍對準自己，露出吃驚的表情，對著為首的警官說：「你們認錯人了吧？我是楊中行士的秘書。」警官兇惡地說：「就是抓妳這個機器人，快把雙手舉高！」

克莉絲蒂娜知道事已洩露，微笑著輕舉雙手，兩名警察便衝上去，將其反手用手銬銬住，左右推她往警車上走，眾人以為事情如此簡單結束。才走了幾步，克莉絲蒂娜雙手扯開手銬，如同拉斷細繩一般容易，迅速反手奪取身後警察的手槍，並各自在兩人大腿上開一槍，兩人應聲倒地，此間不過三秒鐘。

警官見狀不好，令其餘警察開槍，十多枝槍火力齊開，克莉絲蒂娜衣服斑斑穿孔，肌膚也受損傷，子彈卻打不穿內部的裝甲，修復肌膚的系統隨即啓動，同時開槍還擊，所有警察皆腿部中彈倒地。警官躺在地上按下手上的通訊器，指揮車立刻派出十台機械獵犬，背上武器座翻出機槍，向克莉絲蒂娜開火。她見此立刻跳入走道旁的花圃，往紫頂研究所後方山林遁去。而十台戰鬥機械獵犬緊追不捨，沿著山路上演一場追逐戰，槍聲遍山林。

克莉絲蒂娜奔跑速度雖快，但獵犬的系統也不遑多讓，緊隨其後，斷續開槍。她右手突然變化，轉制成離子砲如袁毓真的『夢彤夢蘿』一般，邊跑邊回頭，一記『回馬槍』，轟掉了一台機械獵犬，其餘獵犬在動態奔跑中調整隊形，前面三隻背上武器座翻轉成追蹤火箭，各自開火發射三枚，克莉絲蒂娜又一記回馬槍，轟掉追來的兩枚火箭，最後一枚穿過空中火團，打中她的離子砲座，轟隆一聲將她炸出十多公尺，撞斷一棵樹。她渾身肌膚衣物損傷超過百分之三十，成了半人半機械的怪物，修復系統已然毀壞，但立刻爬起再戰。爲首的三隻機械獵犬快速撲上去，意圖放出強磁捕捉，鋼鐵碰撞撕打成一團，三條機械獵犬全都被撕成兩半。後六隻欲投入戰圈，她右手砲座已毀，左手變制成一砲珠，打出一砲電磁干擾彈，六條機械獵犬，連同克莉絲蒂娜自身，瞬間被干擾，短路當機，全部倒地。而她重新啓動備用電源系統，緩緩爬起來，而機械獵犬都已經報銷。

正當她以爲以勝告終，左手臂伸出天線，切入當地無線網路系統，通知其他兩名克莉絲蒂娜時，山路邊上二十多公尺外草叢中，忽然站起一個年輕女子，雙髻垂髻髮型，女版漢式緊身衣褲，繡紫紅邊，面貌秀麗動人，身高一米七五左右，扛著火箭筒發射了一枚追蹤火箭，機器人蹲下閃躲，火箭彈已在其前三公尺處爆炸，又是一枚強磁波干擾彈。機器人渾身冒煙倒地，內部系統已然損壞。

女子上前探視，見已得手，便打開掌上電話道：「報告組長，目標物已經制服！」電話中傳來曲縱橫的粗鄙聲音說：「好！『兔殺手』，把位置座標回傳，妳在現場看好它，我們馬上就到！」女子點頭道：「遵命！」

第三幕　通緝機器人

紫頂研究所停車場，躺著半人半機器型態的克莉絲蒂娜，楊恒萱、賀嘉珍、曲縱橫與十二影肖成員，在其周圍檢視，元首大人領著包括曾有能在內的一群官僚，也隨即來此，行宰大人安撫好受傷員警後，最後來此察看。

曾有能見了大吃一驚，背脊一陣發涼，雖然機器人面部損壞三分之一，但原有的人形輪廓依稀可見，更遑論身材衣著如此相似，才知道真理部也被滲透。

元首大人在眾人護衛下，察看機器人良久，露出得意的神情，指著身旁的兵器製造局局長說：「立刻將這機器人帶回製造局研究，兩個月內能不能仿造出這種機器人的生產線？」局長不想掃他的興，又不敢太誇口而屆時無法兌現，於是說：「若抽調機械獵犬的研發人員，兩個月內可以，只怕影響到機械獵犬的生產。」

楊恒萱在一旁聽了心思：（胡扯！機械獵犬的完好樣品、設計圖、甚至於生產模具，都是我給你的，你還花了好幾天才上手。而今一台損壞的，且技術更高更複雜的機器人，沒任何文件，憑什麼兩個月內辦到？光是她擁有機械獵犬所沒有的，自行說話與思考功能一項，你花半年也未必能破解！）

元首大人瞄楊恒萱一眼，想看他聽了此話有什麼表情，結果楊恒萱沒有表情。忍不住對他說：「楊中行士，他們人手不足，希望你在這段時間能去兵器製造局協助，把機器人的結構破解開，以有助於龍族戰爭。」楊恒萱當然不是笨蛋，讓他去協助製造局，有成果就被他們搶走，倘若沒成果就容易背負責任，於是不軟不硬不拒絕也不同意地說：「紫頂研究所的工作在於破解龍族科技，而今快要有成果了，不應當放棄。不過兩方工作中有一個交集處，就是人工智能的開發，這台機器人的關鍵技術也在於此。我建議在紫頂研究所中，建立與製造局的工作連網，我在破解龍族科技的同時，也能幫助製造局的進程，我想這樣做比較妥當。」如此則化被動為主動，元首大人不好勉強，只好「喔」了一聲，但是頭往上抬而不是點頭。

賀嘉珍開口道：「還有一個問題，這機器人是不是只有眼前的一台？還會不會有其他？」眾人聽了都大驚失色，才這一台就這麼難搞定，有其他還得了。不過曾有能卻抓住了機會插嘴說：「很有可能！我在真理部『似乎見過』跟這台機器人相似的西洋女子，而且既然可以製造她，還有可能用其他面孔來滲透到其他單位，對此不能不防啊！」元首大人聽了，瞪大眼對行宰大人說：「下令首都附近的軍警單位進入甲級戒備，開始檢查所有政府單位人員！」行宰大人點頭說：「知道了，立刻去辦！」

楊恒萱心思：（龍族大戰在即，這些官大人還有時間去對付袁家的一對活寶祖孫，實在可笑。）

接連幾天，新河洛風聲鶴唳草木皆兵，軍警戒嚴，持特殊相機查照各單位所有可疑人員，而另兩個克莉絲蒂娜已然失蹤。不過海南的趙仰德還不知不覺，因想念克莉絲蒂娜的床上功夫而發愁，還在網路上張貼尋人啓示，直到曾有能跟他通視訊電話才知曉。

趙仰德在視訊中聽得身上肥肉蹦跳，驚訝地說：「什麼？她是機器人？你有沒有搞錯啊？」曾有能在視訊回答說：「不只你看不出來，我也被她騙啦！這是千真萬確，她是來偷機密的，首都所有官員都知道啦！」趙仰德瞪大眼說：「天啊！我還跟她上過床也！沒感覺出來她是機器人啊！」曾有能歪著嘴回答：「老趙，你這次是賭王中千術啦！她跟我吃飯喝酒的時候也跟真人一樣，做得比你的夢與、夢彤、夢蘿還真！你還是趕緊重建所有電腦資料吧！」兩人扯爛污，在電話中磨半天，討論怎樣善後。

第四幕　非常行動

二月十三日凌晨兩點，紫頂研究所加強了出入警備，還有自動透視檢測儀在門口掃瞄。楊恒萱繼續在紫頂研究所辦公室內，研究人工智能的應變結構，主要先從袁毓真留下的電腦資料及其所探知的龍族器物著手。雙手打著光盤鍵，盯著對面牆上的顯示螢幕，不分晝夜工作著。心中對袁續居這老頭子的智慧，暗暗讚嘆。

忽然「叮咚」了一聲，螢幕左上角閃出獨立視窗，出現賀嘉珍的影像，這是特許的直通電話。賀嘉珍開口就問：「楊大哥，人工智能的進度如何？」楊恒萱笑了一下，邊工作邊緩緩回答說：「這兩天妳每六小時一通電話追問，一定是元首大人急了。」賀嘉珍從視訊中看到他還在手邊的工作，必然是還沒結果，嘆口氣道：「要是袁毓真在就好了。」楊恒萱說：「科學系統最大的缺陷，就在於當時最先進的思想與概念，都不在系統之內，而科學家還不自知。你也知道袁毓真祖父閉關三十年，外加數十億財富的投入，才製造出這種機器人。我就算是天才，也不可能幾天內超越，又何況是龍族文明？」

賀嘉珍說：「元首大人真的急了，因爲就在兩個小時前，龍族的自動化大軍開始進攻列島地區，從庫頁島、東瀛四島、到台灣島，全部陷入戰火，我國軍方幾乎沒有招架之力。元首大人急著要組建人工智能的新軍隊。」楊恒萱聽此才放下手邊工作，皺眉頭道：「天啊！這麼快就燒到家門口啦！其他國家真的這麼不堪一擊嗎？」賀嘉珍嘆口氣低頭說：「人類確實無法抵擋龍族軍團，甚至根本不知道這些部隊，從哪裡轉移過來的。我現在很擔心台灣的家人，但是救國的任務在身，不能回去。」

楊恒萱喝了一口提神飲料說：「妳去了也沒用，請元首大人幫忙吧。至於人工智能進階的事，大約三天後我就進入測試階段。只剩下搭配更精密的戰鬥機器而已。希望兵器製造局在這方面能有突破。」賀嘉珍說：「我打算再去一趟海底基地，去找袁毓真的祖父談談條件，畢竟我跟他還有一面之緣。」

楊恒萱瞪大眼，頗爲吃驚問：「元首大人同意了嗎？」賀嘉珍答道：「袁老頭子在海底基地的事，就是元首大人告訴我的，他給我一艘最先進的潛水艇，還派『影易特務組』歸我指揮，去跟他談談條件。」楊恒萱問：「元首大人授全權嗎？」搖頭答道：「只答應撤銷通緝令，給予一大筆金錢，交換人工智能與海底基地。」

楊恒萱冷冷嘆口氣道：「敢行非常之事者，必定非常之人。袁老頭子能做出這種特異之事，用打動常人的條件去談，必定不能談得攏，況乎派特工人員同行，足見元首大人放不下權力慣性，也沒多大誠意。希望賀小妹妳多注意此點，在探知袁老頭子的狀況後，額外用可行的條件去談。」

賀嘉珍點頭露出笑容答道：「感謝你的贈言，我會牢記在心。你先繼續工作，等小妹我回來之後，協助你一起行動，完成『智慧四人組』原本的目標，獲取星際航行的技術。君子行事有始有終，不被旁鶩所擾，不是嗎？」楊恒萱也笑了出來，突然感覺到賀嘉珍是一個少有的奇女子。

第五幕　列島空援大會戰

正當賀嘉珍率領『影易特務組』乘坐潛水艇前往海底基地，楊恒萱在紫頂研究所繼續破解人工智能，而袁毓真等人在邦邦的戰艦上遊玩參觀時。從庫頁島、東瀛四島、琉球島、到台灣島陷入龍族自動兵器的猛攻，軍民抵抗傷亡慘重，不斷對內地求援。一艘最新型的龍族戰艦，出現在黃海上空飛行，似乎就是這次攻擊行動的指揮艦。

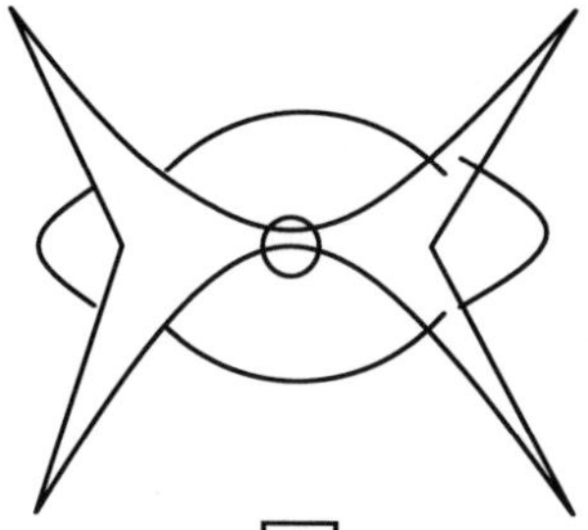

龍族超級戰艦草圖（上方向下看圖）

被元首大人逼急的列島防衛總指揮官，空軍大將軍錢勝煌，出動全國現役各式戰機兩千架，對這進入空域的艘宇宙戰艦發動總攻。而戰艦釋放的龍族空中武器，與琉球之戰時不同，反與這艘戰艦的型態相似，只是機型由垂直地面翻轉成水平狀態，體積與人類的戰機相當。依據其他國家與龍族交戰經驗，若投以核武器，不但打不穿戰艦的外部防護罩，還會被龍族報復一種『小型龍造太陽』，集束發射的超能量巨砲，一個大型城市頓時灰飛煙滅，似乎已經成了一種反擊公式。所以元首大人通令各單位不得使用毀滅兵器，錢勝煌只好動用全部的戰術武器攻擊，企圖重演琉球之戰的勝利。

黃海上空頓時如同節慶煙火般熱鬧，火光烈燄四散，爆炸墜毀之聲通徹雲霄，空中大會戰就此展開。

青島地下總指揮室。連絡官回報：「報告大將軍，戰鬥機總指揮告知，我方戰機被擊落一半，只擊毀敵機一百架左右，目前找不到敵艦的弱點，請求全軍撤退！」錢勝煌從開戰到現在就焦頭爛額，指揮室空調適當，卻不斷用手巾擦汗。假若現在說撤退，自然無法支援列島的地面作戰，形同戰敗，假若說不撤，那麼就有全軍覆沒的可能。

只好改口大聲質問：「快問陸軍！地面對空飛彈支援的如何？打中對方了沒有？」連絡官迅速用電腦文字往返，然後回答說：「陸軍大將軍王神通說，因爲導航都由戰略宇宙軍負責，打中沒有你去問宇宙軍。」錢勝煌握緊拳頭說：「那你快問宇宙軍！」連絡官又快速通過網路文字往返，回答：「宇宙軍大將軍王若仙說，宇宙軍現在的衛星都不存在了，這問題你問海軍的導航船隻或潛艇。」錢勝煌握緊拳，頭瞪大眼道：「那你快問海軍！」連絡官又快速通過網路文字往返。然後回答：「海軍大將軍林通貫說，因爲海軍船隻沒有空軍的掩護，導航任務由空軍飛機擔任，所以這問題要問大將軍你自己！」皮球踢過其他三軍種，後又飛了回來。錢勝煌握緊拳頭，緊閉眼大聲喊道：「他放屁！給他五大艦隊的飛機呢？給他的導航飛機系統呢？還敢在琉球戰後慶功宴上說自己是『英雄戰神』，連狗屁都不如！你給我報告元首大人，說他在推卸責任！」

指揮室眾人都發愣，一個小小連絡官怎麼去元首大人那邊告狀？只好追問：「報告大將軍，戰機總指揮的要求怎麼回答？」錢勝煌把手巾扔下含怒道：「好吧！告訴他全軍撤退！」於是各路突擊機群奪路而逃，一面應付追擊一面撤回基地，最後只剩七百多架，支援列島的空中戰役慘敗而回，只能寄望列島陸軍部隊自己抗敵。敗報傳回元首府邸，元首大人氣得大罵眾將領無能，下命令罷免這四個人四軍種大將軍的職務，暫由副將軍接替。

一個獲取星際航行與龍族技術的計畫，竟演變成這種局面，真是怨誰都不是。正當苦惱中，府邸秘書告知，新任美國總統兼歐美聯盟首腦要求通訊。元首大人想到那個坐輪椅的洋老頭，怎麼會不在任了？於是同意通訊。螢幕上出現另外一個洋老頭，他螢幕背景是在地下總指揮室，透過翻譯開頭寒暄幾句，討論了一下列島戰爭的狀況，很快就陷入唇槍舌劍相互指責。

新任美國總統兼歐美聯盟首腦首先發難：「我從已故亡的前任總統那裡得知，龍族生物是你們中國招喚出來的，今天人類瀕臨滅亡的慘況，中國要付最大責任！」

元首大人立刻反擊：「你胡扯！你別忘了是那一個聯盟國體，率先進攻龍族海底基地，掀開戰爭的！這破壞談判，開啓戰火的責任我還沒跟你算，你倒是先指責我來啦！」

歐美首腦又反擊道：「我們根本沒有主動開戰，是龍族一開始就把人類當作敵人！我有證據可以證明，你們除了招喚危險的龍族怪物，還攻佔了海底基地！這是你們中國的責任，我要將之公諸全世界！」於是視窗顯示了海底基地海面上的實況轉播，浮有一固定海底的浮標，上面有一旗幟寫著『海底基地漢疆唐土』八個大漢字。然後接著說：「從帛琉島上我軍受攻擊，到今天這個告示，你敢說中國軍方沒有主動攻擊龍族嗎？」

這又使元首大人想起那一對令人惱怒的子孫，但他不打算告知內部矛盾，於是板著臉，露出冷笑回答：「就算我中國也有責任，那又怎樣？看看現在的局勢吧！你歐美各國等於亡國，聯盟也幾乎算是解體，世界各國都在組織流亡地下的政府，又還有那一國能保有我中國現在的實力？你還是想想，怎樣趕走龍族在北美的機械軍團吧！」

這一把確實讓那個洋老頭很是吐血，偏偏是中國最後被攻擊，只好也硬起來反駁道：「據我情報所知，龍族進攻人類，除了架設星際跳躍儀器之外，還帶有報復人類俘虜的行爲。你們的南十字星計畫，以爲我們不知道嗎？這歷史責任你躲不掉！」

元首大人想起最初，故意洩露給歐美聯盟，引誘他們先行動的事，拍桌回嗆道：「要講歷史責任是吧？南十字星計畫是我透露給你們知道的，跟你們的前任總統談判，還跟我協議合作共同行動，當時龍族還可以商量。結果你們卻要先動軍隊惹對方，引起牠們的反擊，現在卻想掩蓋歷史啦？好啊！我們看現在誰有實力負起重建地球的責任！我以後就不提供任何資源了！」

反復講回實力問題，才令歐美聯盟首腦默然無語，只好先緩頰一下，改變口吻說龍族進攻地球勢所必然，以躲開責任問題，重新提議戰爭的合作。

智慧四人組各自命運如何？人類又是否能躲過龍族的滅種攻勢？賀嘉珍欲重取南十字星計畫的目標，又是否能達成？欲知後事如何，且待下象分解。

第十七象　海底談判特工作戰亂方寸　宇外策應龍族矛盾得緩兵

第一幕　夢境關連器

話說袁毓真等六人與李韻怡、廖香宜一同參觀宇宙魚戰艦，欣賞無盡的宇宙美景，這期間袁毓真與眾女子同寢同食，心中不斷吶喊：至少要佔一個美女的便宜，但是七個女子每一個都沒給他討到好處。他只能開開玩笑適可而止。

眾人睡在一半圓體房間內，外面是總控制室，半圓體房中央有一個圓球通訊器，由一個一公尺左右高的圓柱體支撐著。而八人的床位繞此圓柱分成八個角度，袁毓真等六人只當這是邦邦的監視器，半個月來都不以爲意。

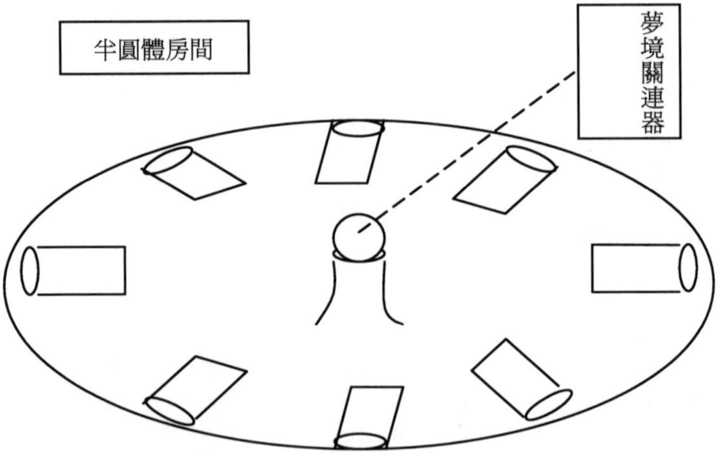
半圓體房間
夢境關連器

眾人起床各自洗浴完畢，蔣婕妤對袁毓真說：「我們來這艘船也有二十天了，自從九宮幻方之後就沒見到那怪物，你去跟紅小姐說一下，請她轉告那隻怪物，把紅二號還有夢蘿還給我們，我們想要回家。」袁毓真皺起眉頭說：「為什麼是我去說呢？」蔣婕妤用拳頭輕輕打了一下他的背，說：「你是這裡唯一的男人也！況且紅小姐她很喜歡你，你去說比較恰當。」袁毓真說：「可是這些天觀察下來，白小姐很討厭我，我感覺她們兩人是同性戀。」

另外四個女孩也不約而同點頭，說「是也是也」「我也有這感覺」相互討論了起來。蔣婕妤打斷眾女孩說：「好了，都安靜！」女孩們遂靜下來。蔣婕妤再拍他肩說：「你快帶頭去啦！我們跟在你後面！」袁毓真只好同意。

到了指揮室，袁毓真對著懸浮於半空中操作的紅與白說話，紅與白降下懸浮指揮光盤，聽他轉述想回家的意思。

李韻怡聽了之後說：「我不懂你們說什麼，宇宙中沒有地球這行星啊！而妳們跟我一樣，是經由邦邦主人的機器製造，出生在這艘太空船上面的。」六人聽了都頗不解，廖香宜按下手上的隨身電腦鍵，指揮室後方的螢幕轉而出現培育室的畫面，顯示出一座座培育槽，大約數百座，玻璃內全部是透明液，培養著八人的人體型態。廖香宜說：「真實的我們已經死亡，我們是培育出來後轉置記憶的人，將來邦邦主人還會幫我們加入特製的記憶，使我們更聰明也更服從！」說罷她漂亮的臉蛋出現猙獰的面象。袁毓真大喊：「不要！」

忽然醒來，回到臥室床上，原來是夢。袁毓真長噓一口氣，其他女孩也紛紛起床，各自洗浴完畢，蔣婕妤又對袁毓真說同樣的話了。袁毓真心思：（怎麼跟夢境一模一樣？）他也順著夢境的回答，結果所有人的回應都是如同夢境一般，最後在指揮室也是相同結果，說他們已經死亡，是轉置記憶的。袁毓真急得大叫而後狂奔，最後倒在其他太空艙內昏去。

忽然又醒來，回到臥室，原來又是夢。如是反復者三。當又回到臥室時，心思：（不對勁，這夢境太真實了。）還沒有等蔣婕妤說話，他馬上就衝到指揮室問紅與白，問自己是不是複製人。李韻怡笑著說：「原來你早就知道了，我們就坦承告訴你吧！」袁毓真傻坐在地上，而後反復說：「這是夢，是邦邦搞的鬼！你這怪物快出來！」說罷又回到臥室了。

當眾人醒來時，邦邦、李韻怡、廖香宜，一龍兩人都出現在臥室。邦邦透過翻譯器說：「可惜，夢境關連器還是沒有完成，紅與白還是出現『跳夢早醒』的狀態，袁毓真也還是出現『反復辨識』的情況。」六人都頗爲疑惑，因爲他們都反復相同的夢。蔣婕妤問：「這倒底怎麼一回事，怎麼老夢見大家？還說什麼複製人？」邦邦說：「紅，妳跟他們說怎麼回事吧！」李韻怡點頭說：「是，主人。」

李韻怡對眾人說：「你們知道次易原理中的轇夢卦及其相關屬著吧？龍族主人的科學理論中也有類似的理論，而且已經接近成功運用的階段了。」她說的次易原理轇夢卦及其相關屬著，蔣婕妤與袁毓真都知道，是兩百五十年前次易原理作者，破解莊子『莊周夢蝶』的疑問。但是姜麗媛、黃敏慧、歐陽玉珍、何佩芸是女軍人，聽說過次易原理卻不知道內容，不過她們知道蔣婕妤與袁毓真都博學，這兩個帶頭的知道，她們也就心安地聽下去。

袁毓真說：「不會吧？那只是次易原理作者的猜想，難道說可以變真？」李韻怡點頭說：「可以的，龍族主人們也是這麼看夢境。只是龍族的夢境更加逼真。而所謂『真實』與『夢境』甚至於『幻想』，三者之間的差距只在於關連程度，與架構方式而已。只要有足夠規模的循環關連體運作，夢境可以架構成真實狀態，真實狀態可以被架空成夢境，關鍵只是在循環關連體怎麼轉制運行。倘若因而反轉，那麼最基本的物質粒子的面象，常習認知的科學法則，將用另外一種面貌呈現出來。」蔣婕妤問：「這算不算是進入另外一個世界？」李韻怡搖頭說：「不算是，但是你可以用這種方式去解釋。」

袁毓真說：「那麼這次的架構算是失敗了嗎？」李韻怡說：「是失敗了，因爲關連的規模不夠，一旦出現『有』與『無』之間法則的延續訴求，這關連體系就相對降冪成低階情境，形成知序卦的認知方向。從而進入不了『有』的分界，這種關連就只能是『夢境』。」袁毓真皺眉頭若有所思地問：「是不是參與的人數不夠？何不多找些人一起來？」李韻怡答道：「沒這麼簡單，參與夢境的個體越多，關連體的基本盤面越大，但是要協同架構，同一種情境關連的可能性就越低，也就是夢境分歧的狀況就越明顯。所以主人剛才說我與白，會『跳夢早醒』，這就是關連體的穩定度問題。所以即使是龍族個體建立夢境關連，也會出現最基本的『有』與『無』之間法則延續問題。根據過去的歸納，在八條龍族個體左右的數量，最接近真實運行。」

袁毓真又問：「那邦邦說我出現『反復辨識』又是什麼意思？」李韻怡答道：「最重要的

是夢境型態的本身，必需要參與的人都接納，把這情境當成真實，然後延續架構合乎『有無法則』的新運行規範，邦邦主人也有參與我們的夢境，這夢境就是主人設計的。但是在延續當中，這是非常脆弱的『情境雛型』，關連範疇不足，不能出現任何的疑慮。所以莊周夢蝶，莊周的疑慮不會影響真實宇宙體系的關連，但我們假構的情境會受這種疑慮的影響。而產生疑慮的就是你啦！所以這種雛型發展，太過於脆弱，連龍族主人的科技都無法辦到。」

蔣婕妤對夢境實體化很有興趣，當初考法士的論文就是談轇夢卦，轉而問：「一點懷疑就會被破壞，出現反復的夢境循環，是不是在八卦當中，這是從『兌卦』啓程，逐步轉制其他七卦的方向，只要本身主管感知的『兌卦』體系出現關連虛象的漏洞，其他七卦就不能架構，連帶本身的體系都會瓦解，打回夢境的本質？」

廖香宜是同性戀，特別喜歡聰明漂亮的女性，開心地插嘴說：「蔣姐姐說的完全正確！呵呵，妳很聰明喔！」看到她對自己曖昧的眼神，蔣婕妤頗感一陣蘇痲，把眼神轉向其他人。

邦邦透過翻譯器開口道：「這只是初步的試驗，我要把夢境關連發展成功，之後妳們八人要跟我進入培育槽內，『現實』身體的需求以及戰艦的運作，都由機器人負責，通過槽內相互連線，加強夢境關連的頻率與強度。只要讓變易體接納我們的情境關連架構，客觀現實與夢境就會顛倒，我們遇到的問題都可以解決掉。」蔣婕妤急著反駁道：「不行！我們要回家！」

邦邦本來想使強，但是怕眾人情緒浮動而影響夢境關連，於是解釋道：「你們六人現在跟紅與白一樣，都是我的牲畜！況且你們的國家是因爲我的思維提議，才變成最後一個遭到龍族進攻的國度，不然你們跟你們的家人早就死光了。不過隨著我與龍族法庭機構鬧翻，現在你們國家也失去思維保護，已經遭到其他龍族的進攻，我也救不了。倘若你們肯合作，我們所處的情境秩序將換新規範，與宇宙法則重新接軌，我們的問題都可以解決。到時候你們要留下來當我的牲畜，或是要離開，我都不反對。」眾人已然與牠一樣，沒有退路可行，也沒有勇氣挑戰邦邦了。不過大家也都已經聽出弦外之音，邦邦與牠們的種族已經決裂。

第二幕　重返異域

夢境關聯的同時間，二月十五日。

正當全中國與龍族開戰之時，賀嘉珍與曲縱橫率領著『十二影肖』，乘坐潛水艇到達海底基地外。爲了談判氣氛，他們不敢用第一次衝入基地內的方式，而在基地外巡弋，並不斷發射連絡光波，同時用聲納呼叫。基地內的老頭子收到了，打開了基地內一艙門的開孔，發光引潛水艇進入。進入後，水逐漸抽乾，潛水艇也緩緩地降至艙內地面。

眾人下了潛水艇，對賀嘉珍來說，這陰森的地方與上次相比沒有多大差別，還是半圓體爲主的房門，對其他人來說則頗爲陌生。一門自動打開，眾人魚貫進入，到一巨大的四方體房間，掛有人造電燈，一面壁上掛著巨大的螢幕牆，海底基地似乎是被老頭子改裝過了。

賀嘉珍大喊說：「袁老前輩！我是在泰山向您拜見過的女生啊！您還記得我嗎？我們是來跟您談談的，可否現身一見？」

半分鐘沒回應，忽然螢幕牆上出現一個人，但這個人的影像並不是袁老頭子。此人髮型修短西裝頭，全身最新款式西裝引領，深藍服飾，胸前有十字架，黃皮東方男性，沒有戴眼鏡，兩眼周邊皮膚泛白，與臉部其他部位的膚色對比，有點像白眼圈的貓熊，神情也頗爲滑稽。開口就是說英文，但是螢幕上打有老頭子翻譯出來的中文字幕，所以眾人也都看得懂。

男子先歪嘴，溫吞又諷刺性地問：「人類本來是上帝選擇的物種，而今怎麼會被上帝拋棄？」又自問自答地說：「你們搞同性戀結婚而挑戰上帝的安排，你們政治貪腐無能而不理神跡，你們迷信科學而質疑上帝，你們狂妄自大而不顧神喻！你們想，上帝會要怎麼審判你們？」這句話，越說語氣越高調，然後忽然又瞪大眼，眼框周圍的白皮隨之擴張，降下語氣地說：「如今答案揭曉。當人類迷信科學的時候，更強的科學物種，要來消滅人類了！」於是螢幕出現短暫撥放，龍族戰爭進攻歐美聯盟的影片片段，伴隨著歌頌『最後審判』的聖歌，約莫一分鐘停止，那男子又出現，用鄙視的眼神緩緩接著說：「你們貪婪文明浮華，你們徹底拋棄十誡，你們對地球生態與萬物犯下種種的惡行，你們遠離上帝的安排。最後審判之時，你們想，上帝將把你們人類置於何地？」然後轉變鄙視的眼神，又瞪大眼睛，擴張眼睛周圍的白皮，竟然還帶有點笑容，降下語調說：「而今答案揭曉，當人類跟著科學而遠離上帝時，更強大的科學物種，要來消滅人類了。當人類拋棄上帝派來的天使時，撒旦的使者要來迎接人類了。」

說罷雙手轉為禱告手式，臉神轉為緩和而沉重，一句句慢慢說：「最後的審判終於來臨，服從上帝的朋友，時間不多了，讓我們作最後的禱告，祈求上帝寬恕我們的罪惡。」

到此，螢幕關閉，房間打開了一扇門，老頭子帶著笑聲走過來，身穿漢朝規制的皇帝服裝，身後跟著兩個一模一樣的克莉絲蒂娜。這機器人果然是他製造的。

除了賀嘉珍，其他人都警戒了起來。老頭子笑著跟大家說：「剛才螢幕上這一位是美國華裔的主教。我敢說從古至今所有主教，甚至教宗，都沒有一個人的佈道詞比他更好。他語氣與神情都充滿了說服力，尤其他加強語氣說『你們人類』的時候，讓朕都差點被說服了。哈哈哈哈！」

賀嘉珍也附和地笑著問：「皇帝陛下也信天主教嗎？」老頭子瞪大眼說：「啊，我想起妳啦！妳跟我孫子是好朋友，算是小孫女輩的，是那個偽劣元首任命的什麼四人組之一。」賀嘉珍仍笑著說：「您不自稱『朕』啦？」老頭子說：「在妳這種好女孩面前，我就不必這樣乖張啦！我根本不信任何教，只是給客人看一看，有史以來最棒的佈道影片。」轉而嚴肅地看著其他人說：「這些人應該是那個偽劣元首的爪牙吧？你們來有何貴幹？」

眾人不約而同都皺眉，賀嘉珍趕緊陪笑臉，走近老頭子說：「老爺爺別怪罪啦！他們只是保護我的衛隊，我全權負責這次談判。」老頭子轉而看賀嘉珍，微笑著點點頭說：「談判？可見那偽劣元首已經急了，我猜不外乎要我交出研究的科學技術，以幫助對抗龍族的戰爭，我說的對嗎？」賀嘉珍點頭笑著說：「老爺爺果然智慧過人，晚生們無法瞞過您的慧眼。此行目的確實是這個，元首大人也確實拿出誠意來談談，希望您看在祖國危機的份上，拯救同胞於戰火中。」

老頭子搖搖右手食指，打斷她的話說：「我佔領並改裝海底基地，同時派我孫子去外太空攻佔龍族戰艦，就是捨身救國的表現，所以這種冠冕堂皇的話，就不用再跟我說。我比較有興趣聽的是，那個僞劣元首拿出了什麼誠意？」

賀嘉珍看了曲縱橫一眼，曲縱橫便拿出手上的皮箱，走上前打開，裡面裝滿大鈔，同時他也開口說：「這裡是五百萬現金，當作見面禮，另外元首大人也說了，只要你同意條件，你跟袁毓真的通緝令都可以撤銷，還外加更多的資金。」

老頭子見到曲縱橫粗俗的外貌，頗不舒服，冷冷一笑地說：「呵呵，可見僞劣元首毫無誠意。第一，爲何不是先撤銷通緝令才來談？第二，以我的條件，還需要時下的金錢嗎？怎麼不先問問我要什麼？第三，怎麼沒有提到我『華夏文明國』的地位？所以這種誠意我不接受。」

曲縱橫想要發言，賀嘉珍怕他得罪老頭子，便伸手示意，打斷他發言，自己接著問：「那就先請問老爺爺，您要什麼？」

老頭子微微一笑，答道：「第一條，我孫子進攻龍族的一艘宇宙戰艦，毫無音訊，要幫我找到他。第二條，我華夏文明國擁有自主權，擁有浙江我房產與海底基地的一切主權，地位等同於國家整體。可以用兩百五十年前次易原理作者時代，台灣與內地的兩幫低劣爛政客，做政治分贓時說的鳥話，叫做『一個中國各自表述』。第三條，除了先撤通緝令外，僞劣元首送上，下達通緝令的致歉書，以及第二點的保證文，兩文件都要公告全國。這三點同意，我就答應把技術轉讓給妳這小妹妹，帶回去給那個爛元首，不然一切都免談！」

賀嘉珍轉而嚴肅地說：「這有點難度，關於第一點我們也在找袁毓真，若他在外太空，世界各國的戰略宇宙軍，都已經全軍覆沒，有點難找。第二第三都還必須要回報。希望老爺能通融點時間，我們會盡力促成的。」

老頭子點點頭，除看了賀嘉珍與曲縱橫之外，還掃視了由七男五女組成的『十二影肖』，對於他們身上的輕武裝毫不放在眼裡。緩緩說：「好吧，你們也不用回去了，先在這住下。我安排一間能通訊外界的房間給你們，不過我先警告你們，這基地有大量的人工智能武裝，倘若你們有越過談判的妄動，別怪我不客氣了。」賀嘉珍微笑道：「放心吧，我們會守規矩的。」

影易特務組組織圖

組長長曲縱橫，男性，四十一歲。
專長：戰鬥指揮、特工計畫。

- 鼠殺手李蓮蓮，二十一歲，女性。專長：爆破、炸彈製作、拆裝詭雷。
- 牛殺手張嘉義，二十三歲，男性。專長：戰鬥突擊、戰術分佈、中國功夫。
- 虎殺手魯克強，二十五歲，男性。專長：戰鬥判斷、射擊、障礙物突破。
- 兔殺手談玉琰，二十歲，女性。專長：重武器射擊、戰鬥突擊、中國功夫。
- 龍殺手唐山河，二十一歲，男性。專長：埋伏僞裝、戰鬥突擊。
- 蛇殺手陳中居，十九歲，男性。專長：快速偵測方位、電腦程式、跟蹤。
- 馬殺手江麗麗，十八歲，女性。專長：長途奔襲、輕兵器運用。
- 羊殺手胡慧君，十九歲，女性。專長：遠距離狙擊、小伍戰術運用。
- 猴殺手何生智，二十六歲，男性。專長：易容術、各類機械拆裝。
- 雞殺手司馬婉瑜，二十二歲，女性。專長：滲透、心理學、戰鬥突擊。
- 狗殺手李聚義，二十四歲，男性。專長：通訊、詐術、監視、重武器射擊。
- 豬殺手宋任行，二十五歲，男性。專長：儀器製造、意外應變。

第三幕　談判破裂

眾人住在一間半圓體房，周圍有六個客房，各自分配進房暫歇，主體客廳有即時視訊電話。賀嘉珍與曲縱橫不敢閒著，立刻與元首大人通訊，轉告老頭子的條件。元首大人在視訊中怒不可遏，大罵老頭子狂妄：「把被歷史淘汰的爛政客把戲拿出來，行分裂割據之事，還要我公告全國，這叫什麼？還有，我若知道袁毓真下落，還會下通緝令嗎？這瘋老頭簡直無理取鬧！」

賀嘉珍低頭道：「是的元首大人，不過現在是我們有求於人，況且他只有海底基地與白己的那一棟小房子，不算什麼分裂國家。龍族已經對我國開戰，希望您能以大局爲重。」元首大人沉吟半刻，唸唸有詞，其實他最在意公告全國與道歉之事，其他條件等技術獲得之後，再反悔也不遲。板著臉說：「我只答應第一點與第二點，外加撤銷通緝令，至於金錢補償，他要不要隨便！就這樣回答他！」

賀嘉珍突然感到他的矛盾，既然同意幫忙找人，甚至同意『一中各表』這種政治分贓分裂國家，做兩幫被歷史淘汰的爛政客同樣的行爲，爲何獨不答應第三項？必然是面子問題作怪。雖然她是元首大人的情婦之一，也無法揭開說白，只能點頭同意。元首大人又冷冷地對賀嘉珍旁的曲縱橫說：「惡棍，你應該還記得出發前的密令吧？」惡棍是曲縱橫在特勤廠的綽號，只有上級才敢這樣稱呼他，曲縱橫立正站好，點頭道：「小的沒忘，小的遵命。」

賀嘉珍不知道密令為何，但是猜也知道，必定是條件談不攏，所有特工就採取武力行為。賀嘉珍急忙說：「元首大人不要妄動！請先讓我花點時間談談。」也只有賀嘉珍敢用這樣語氣對他說話。元首大人回答說：「妳放心，我有令他們不惜性命也要保護妳回來。至於行動與否，你們各自有各自的任務，相互都不要干涉。我等待你們的好消息。」於是關閉視訊。

曲縱橫皮笑肉不笑地對賀嘉珍說：「總參士放心，您先努力談，即使失敗，您的生命安全，小的也會優先考慮。」賀嘉珍白了他一眼，嘆口氣說：「國家的命運啊！好吧，依令行事。」曲縱橫於是大喊全體集合，十二人武裝走出房門，指著當中三人道：「老鼠、兔子、小雞，妳們三人跟著總參士，寸步不可離身，以生命保證她絕對安全。」三女子不約而同走出列，點頭道：「遵命。」

兔殺手談玉琰，即是先前在紫頂研究所擊毀機器人者，身著髮型與衣飾仍然與先前相同，雙槍佩帶於兩大腿外側。鼠殺手李蓮蓮，身高一米七三，長髮於背，瓜子臉蛋，白皙皮膚，身材勻稱，雙眼皮淡妝，美麗動人，淡藍色漢式緊身衣褲，開襟處沿著一條紅花帶，背著短刀，要綁著數枚可操作的定時炸彈與手榴彈，必要時還有一枚自殺炸彈可以引爆。雞殺手司馬婉瑜，身高一米七五，綁一條麻尾辮於後，全紅漢式服，方臉而不失秀美，身材美如『夢與』，肩帶衝鋒槍，腰帶上掛著數枚彈匣。賀嘉珍看了這三個年輕貌美的小妹妹，都帶著死士般氣迫，微笑著說：「妳們三個不要緊張，一切聽我的吩咐，別破壞談判氣氛。」曲縱橫又補充說：「其他人待在這裡，準備好密令計畫的部署，等我的號令行事。」

賀嘉珍、曲縱橫帶著三名女死士，到達原先見面的大廳，只發現一個克麗絲蒂娜在場。賀嘉珍對她說：「我們已經有答案，請老爺爺出來談談。」克麗絲蒂娜左手伸出天線，把牆上的螢幕打開，只見老頭子全裸洗澡兼洗頭，白色的頭髮還帶著泡沫。老頭子對著螢幕呵呵一笑說：「偽劣元首果然死性不改，準備要來這裡開戰，好啊，我奉陪到底。」賀嘉珍急忙伸手道：「老爺爺誤會了！元首大人讓我轉告談判的答覆！」老頭子指著螢幕說：「那麼這『惡棍』身後的手下怎麼少了九個？你們跟偽劣元首通訊時，說的『密令』又是什麼？」忽然瞪大眼道：「別欺負我是九十一歲老頭，我腦筋清楚得很！」原來他都全程監聽通訊內容了。

賀嘉珍微笑著說：「我們兒孫輩的把戲，果然瞞不過老爺爺的慧眼，不知您認為元首大人開的條件怎樣？」老頭子持起水瓢以水沖頭，緩緩地說：「我提的第三點最關鍵，沒有公告全國道歉並送文書證明一切，他就能事後反悔，又把我們祖孫變成通緝犯。我們是不怕當通緝犯，但是歷史會怎麼評論這件事？還不又給權力階層給擺弄？所以我不答應，你們玩他的密令行動吧！」曲縱橫聽了面露青筋，咬牙切齒。

賀嘉珍見狀不好，趕緊對螢幕跪下來，含著淚說：「請您幫幫小孫女吧！現在中國已經被龍族進攻，就快要跟世界其他國家一樣，人民陷入龍族的殺戮中。算小孫女求您了！」老頭子嘆口氣，放下水瓢，拿起毛巾擦頭，透過螢幕緩緩道：「偽劣元首那個小人，若有妳這女、流之輩的一半胸襟就好了。看在妳的面子上，我倒是有一個提議，那個小人反正沒誠意，也不用給我什麼條件。妳留下來當我的助手，協助我組織機械人軍團參加戰爭，保護祖國的人民，並幫忙找我的孫子。這樣也就達成大家的一半意願，要我把多年的心血白白給那小人，恕我萬萬不能同意！」曲縱橫已經感到談判失敗，於是按下手錶型通訊器，通知所有人採取密令行動。

在房內的九人，收到訊息之後立刻行動。眾人尚不知道中央控制室在何處，想必在老頭子所在附近。蛇殺手陳中居，身高一米五八的矮男子，面貌平凡，身青漢服，拿出背上的金屬筒，放出大量的金屬小昆蟲，小昆蟲四散於基地內掃瞄探索，把所掃瞄的資料傳給所有人的錶型通訊電腦。如同蛇的舌頭探境索物，很快查到一間房門內，有人類規模的生物反應，還有一間房內有大量電流往返。於是九人分兩組，牛、虎、龍、蛇、馬為第一組，沿電腦繪圖往老頭房內衝去，欲將之生擒綁架，羊、猴、狗、豬為第二組，往電流多的房內衝去，若是控制室就將其佔領，不然就控制電流，必要時破壞通電。曲縱橫知道眾人開始行動了，於是對身邊三個手下下令：「談判破裂！保護賀參士！」指示迅速，司馬婉瑜立刻持槍穿插入克麗絲蒂娜與賀嘉珍中間，另兩人左右扶起她往後退。

曲縱橫抽出衣袖內的小鋼砲槍，往克麗絲蒂娜頭部開火，她見狀雙手保護頭部。轟地巨響，被彈撞在牆壁落於地，很快又爬起來，雙手功能已然有些損壞。老頭子拿起水瓢繼續沖下體，笑道：「哈哈，準備玩密令行動嗎？好，我老頭子就陪你們年輕人玩一玩。」

第四幕　機械戰特工

話分三路，兩組人馬都是訓練有素的殺手，快速沿著電腦繪圖，衝向各自的目標區。第一組人馬一路轟破阻擋的門，隔著一間就到老頭子所在的浴室，當門被轟破，牛殺手張嘉義要衝入時，在身後掩護的虎殺手魯克強，看著手腕顯示器說：「老二等一等！隔間有活動物，可能是伏兵！」

張嘉義採取戰鬥蹲姿，右手持衝鋒槍向前瞄，左手先握拳，而後伸出食指與中指。這是一個戰術方式的指示，即令影骨排行倒數兩人，採取戰鬥突擊動作，衝進該房間。陳居中與馬殺手江麗麗，前者持步槍後者持衝鋒槍，交叉衝入房間，在進房的瞬間，各自快速翻滾，立刻就朝房內的機器人開火。

房間很大，如同一小型廣場，站著最後一號克麗絲蒂娜，還有十多台類似先前的『大司馬大將軍』型號的機器人。被衝入的兩人快速射毀兩台機器人，後面三人也隨後快速衝入開火掩護，果然是訓練有素的特務人員。『大司馬大將軍』型號的機器人，沒有反擊，只是挨打，克麗絲蒂娜手持手槍對眾人腿部開槍，眾人的火力打不穿她的裝甲，魯克強迅速用平射迫擊砲打她，一台『大司馬大將軍』型號的機器人，穿插到火力線中間，應聲爆炸。克麗絲蒂娜把五個人十條腿都打中了，各自啊了一聲，仍苦著臉作戰。五人竟然還趴在地上開火，果然是拼死作戰的死士特務。十台掩護機器人都被擊毀，克麗絲蒂娜在挨火力當中，左手變制成一個噴射管，釋放大量的痲醉迷霧，五人全部負傷昏倒。完了一路。

第二組順利衝入電源流動量大的房間，沒發現機器人，只見一台發電機在運作。

爲首的羊殺手胡慧君說：「這必是海底基地內的電源所在，老九快去控制它。」猴殺手何生智，從背包中拿出特殊器材，迅速拆掉發電機版面，連接端子控制整台發電機問：「是否要斷電？」胡慧君點頭說：「好，使用暫切功能。」於是發電機瞬間停止運作，基地內電燈頓時熄滅，而後跳出備用電源的電燈系統。胡慧君說：「去跟第一組匯合！」話才剛說完，一門打開，跑出一台老頭子長像的機器人，但是只有上半身，下半身是一台小履帶車輛，而上半身的樣貌也頗僵硬，如蠟像一般，但雙臂是可以懸轉的發射筒。

該機器人衝入後，房門關閉，兩臂迅速拋射痲醉迷霧彈，四人警覺很快，各自持手上輕重火力射擊，並不斷往後退回原路。雖然快速把機器人轟掉，但是退路的門已經關閉，豬殺手宋任行從包中掏出四具防毒面具，四人快速戴上。然後狗殺手李聚義，用手上火箭筒轟掉阻路的門，準備往回退去與第一組會合。但迷霧外突然出現一台機器人在放冷槍，四人的腿都一一掛彩倒地，而後衝入一台機器人，外無皮膚包裝而呈現全金色金屬，兩眼發紅光探照，左手還端著長槍。四人仍拼命開火，機器人裝甲雖厚，也被節節擊退，見他們如此頑強，遂丟棄了長槍，右手變制出一管狀物，連發痲醉針，四人中針昏去。完了二路。

曲縱橫連續對克麗絲蒂娜射出鋼砲，但頂多遲滯她的行動，克麗絲蒂娜中幾彈後開始反攻，快速翻轉跳躍閃躲他的攻擊，司馬婉瑜見狀也持衝鋒槍助射，不過都無大用。忽然出現在曲縱橫面前，一手抓走他手上的武器，曲縱橫本來緊握槍柄，突感一陣猛力抽走，而後被一掃膛腿扳倒在地，並伸手發電壓，將之電昏。談玉琰見狀也持雙槍支援司馬婉瑜，只敢平射而恐傷及上司曲縱橫，李蓮蓮仍護衛在賀嘉珍前。克麗絲蒂娜節節逼近，兩人見武器無效，相互使了眼色，快跑分開兩翼牽制，見克麗絲蒂娜欲往賀嘉珍那邊跑，司馬婉瑜急忙轉變步伐衝過去緊緊抱住她，大喊：「兔子，快用電磁彈！」如此牽制對方果然是很拚命之舉，克麗絲蒂娜通電擊之，司馬婉瑜「啊」了一聲昏去，談玉琰趁此短暫時間快速翻身，撿起曲縱橫掉落的鋼砲，裝上電磁彈發射。把克麗絲蒂娜擊倒，渾身冒煙。但她也有備用系統，正爬起時，談玉琰再補一彈，終於徹底打倒這台機器人。正以為獲勝，門口竄出眾多持槍的機器人，全身鍍金色金屬，兩眼紅光探照，大喊：「放下槍不許動。」李蓮蓮一咬牙，打算犧牲生命，衝上前去意圖引爆炸彈，機器人已經對兩女的大腿開槍，全部倒地，她還正想拉開自爆炸彈，談玉琰苦著臉道：「不要，會傷害到組長與總參士！」她只好作罷，而後所有人都被制服。三路全完。

老頭子令所有機器人將特務人員關入牢房看管，並把賀嘉珍帶到總控制室。

總控制室是一間四方體房間，裡頭一堆特殊儀器，老頭子坐在椅子上對機器人帶來的賀嘉珍說：「鼠輩們都已經清除，現在應該是我們兩個正派人士，好好談的時候了。」賀嘉珍說：

「他們也是聽命辦事的，能不能放他們一馬？我同意你先前對我的提議。」老頭子搖頭說：「不行，敢在我這裡放肆，還打毀我不少機器，這些人一定得懲罰才行！不過看在妳願意合作的份上，我可以從輕處理，不會傷害他們的生命。」

賀嘉珍淡淡一笑轉而溫吞地道：「老爺爺，您建議的合作方案中，第一步是讓我辦些什麼呢？」老頭子微笑說：「主要任務是，組織機器人軍團參加對抗龍族的戰爭。次要任務是，找我失蹤在太空的孫子，以及跟著他的一堆丫頭們。」

第五幕　龍族太空戰

二月二十日，太空中，宇宙魚戰艦。

這幾天來夢境嘗試都失敗，邦邦便使出最終極的試驗。

邦邦強逼八人全身脫光，各自進入實驗室中，灌滿液態物的培育槽，袁毓真以爲會嗆鼻，結果如同身在空氣當中呼吸那樣順暢。很快地八人就進入昏睡，最後邦邦進入主座槽中，灌入液態物，也跟著睡眠。牠架構好的夢境關聯程式，便開始啓動。經歷好幾次逼真的夢境關聯突破，最後，戰艦的龍族電腦系統仍然做出失敗的警告，現實情境狀態並沒有改變，而八人一龍都陷入了無窮夢境當中，仍突破不了『有與無』之間的關隘。於是龍族電腦自動撤掉

向遁逃，被敵人抓到動向，那麼戰圈就會變形成紡錘狀，把宇宙魚母艦困在火力最強的地方。在這種情況下，不如讓護衛的大批戰鬥兵器，用歸元陣配合戰艦火力，反向迎戰追擊者的多象擴張試探，等到戰圈擴散最薄弱的時候，出其不意往最安全的地方突破，才是躲避危險的最佳方針。」

袁毓真瞪大眼問：「妳怎麼也會龍族的太空戰術？」李韻怡說：「先前我跟白被龍族馴化調教，就是邦邦當指導者。」她說話還是把自己當作龍族牲畜，頗讓其他女孩作嘔，不過袁毓真轉看窗外，手摸下巴道：「空間路線的龍族，用空間多象擴散的戰法，時間路線的龍族，採取歸元待時的戰陣，可謂思維歸元一體化了。」這使他想到次易原理歸元卦的相關卦義。轉而皺眉沉思說：「但是按照次易原理屬著第二統制篇的理論，時間與空間都是等價的，偏向於時間的戰陣與偏向於空間的戰陣，雙方若都執行得很嚴密，就很難說誰會贏，現在只看誰會出現執行的瑕疵了。」忽然又想到：（牠們都這樣堅持慣性，就如同人類的思考模式的缺陷一樣，何不忽然轉變方式出奇不意？）

姜麗媛拍打了一下袁毓真的肩膀說：「好了啦，講這些我們聽不懂，趕快告訴我們，回去之後我們還要不要回部隊裡面啊？」何佩芸也搶著道：「是啊，我們都算是逃兵了，而且昨天聽紅小姐說，你跟你祖父已經被通緝，連帶我們也被部隊當做逃兵與共犯處理。你得把我們的事都擺平喔！」袁毓真抓著束髮苦笑了一下，自己根本沒辦法處理這種事情，只好應付地說：「我會去跟部隊的人解釋啦！讓你們順利歸建。」黃敏慧輕輕打了一下他肩膀說：「你傻子啊！且不說你能不能說服他們，現在全中國都陷入龍族戰爭，你要我們回部隊！不是讓我們置身險境嗎？你是這樣對待我們這些女孩的喔？」歐陽玉珍也插嘴說：「是啊，甚至回地球都危險了……」袁毓真嘆口氣道：「龍族不離開，哪裡都會有危險，現在牠們自相火拼，應該會給國家分散一些壓力，也許我們還不至於走投無路。」都只是應付話語，拿不出實質的對策。

蔣婕妤掌握了機辨，突發奇想地說：「啊！有了！我認爲我們現在最好跟邦邦結盟，把自己的家人都帶往安全的地方，最好能跟牠商量，大家都住在宇宙魚。然後跟老頭子聯絡，跟賀嘉珍與楊恒萱連絡，看清楚現在地球的局面再說。」李韻怡與廖香宜捨不得離開宇宙魚，廖香宜於是附和說：「這樣做很好，我們現在回宇宙魚嗎？」

袁毓真苦臉道：「不行啦！現在牠自身難保，我認爲我們先回地球去，老頭子不是說佔領海底基地嗎？我們可以去看看狀況怎樣，反正飛碟上天下海都可以，先穩住老頭子最安全的那一邊，再透過紅二號系統，發射聯絡代碼找宇宙魚就好了。反正邦邦的時間路線還在佈置當中，就算牠躲過這一劫，也不會那麼早離開。」

邦邦是否能夠躲過龍族的群起追擊？袁毓真會順利回海底基地嗎？十二影肖失敗，元首大人會採取其他什麼行動？老頭子要參與對抗龍族戰爭，其結果如何？欲知後事如何，且待下象分解。

第十八象　基地重逢分頭行事顯義勇　域固合力蠶變異同收失地

第一幕　另類審判

啓易三年，二月二十一日。

話說袁毓真等八人與兩個機器人，乘坐著紅二號逃回地球，按照紅二號的區位儀資料，找到海底基地。見到老頭子與賀嘉珍，眾人一陣欣喜。

老頭子看了看夢彤夢蘿機器人都完好，還以爲任務完成，但是當眾人詳細述說經過，從闖九宮幻方後被擒獲，到協助邦邦挑戰夢境關連失敗，則顯得頗失望。賀嘉珍笑著說：「老爺爺別不開心了，我們本來還擔心她們的安危呢，現在她們自己平安回來，本身就是一件值得高興的事！」

老頭子仍皺眉對袁毓真說：「你這沒用的子孫，太讓朕失望了，既沒有得到女孩的芳心，也沒有得到宇宙戰艦。這樣下去怎麼讓朕信任你？」袁毓真皺眉閉眼，不滿地說：「老頭子你有完沒完？被你的什麼開疆拓土，害我們差點就喪命，要不是那隻龍族邦邦跟牠同類鬧翻，需要我們協助挑戰夢境關連，我們早就被邦邦宰掉了！」

老頭子轉面，手摸下巴沉思說：「照你剛才說，那隻龍族還在跟同類混戰而生死未卜，假設牠能逃過一劫，那麼可能可以協助我與賀小姐的計畫。」賀嘉珍希望老頭子盡快加入龍族戰爭，怕他節外生枝，於是說：「我們自身的機械大軍正等待出擊，海底基地本爲龍族所造，也不是絕對隱密安全之處，我認爲現在思考邦邦這件事情，還不是時候。」

老頭子微笑了一下，看了看在場的其他七名女子說：「看來看去還是賀小姐最智慧、最勇敢又最賢淑，最適合當我的孫媳婦，袁毓真，你馬上就娶她吧！」題外一語動眾人，袁毓真瞪大眼。賀嘉珍紅了臉。蔣婕妤半閉眼拉長嘴顯得很難笑。李韻怡皺眉甩頭。廖香宜開懷微笑。姜麗媛歪嘴同時沉了上半身，感覺荒唐。黃敏慧、歐陽玉珍與何佩芸三人面面相覷，笑容勉強且尷尬。

袁毓真內心沒有真誠地喜歡任何女子，只有男人本性的肉慾，卻沒膽子要求，雖有一些欣賞賀嘉珍的語氣溫柔，與才智過人之處，但卻不喜歡她相貌平常。見眾人都各顯尷尬神情，趕緊轉移話題說：「老頭子，這件事你就別操心了，現在我們希望快點組織機械軍團，參加祖國對抗龍族的戰爭，尤其是列島已經淪陷，人民死傷慘重。這些姊妹們的家人，還需要你安排到安全的地方去。」

老頭子沉著臉說：「知道了，這件事情朕跟賀小姐商量過，先用一半兵力出擊，你就跟她去辦這件事吧！朕另外還有一件事情要辦，就是審判那些闖入朕宮城的，僞劣元首爪牙！」賀嘉珍說：「希望老爺爺您手下留情。」老頭子微笑著對她說：「知道了，該放、該罰、還是該洗腦，我自有分寸，妳們還是救國救民去吧！」

眾人拗不過他的固執，於是袁毓真與賀嘉珍等九人，外加夢彤、夢蘿與僅存最後一個克麗絲蒂娜，整裝休養與修理三日後，擠上紅二號。這時間也把賀嘉珍帶來的潛水艇，與先前老頭子俘虜的潛水艇，都加以改裝，兩台潛艇裝載了共一千台戰鬥機器人。由眾人率領出發，首先往賀嘉珍的老家台灣島奔殺而去。

老頭子板著鐵青的臉，走入一間很大的半圓體實驗室，曲縱橫與十二影肖共十三人，分別被關在十三個籠子內，這些天醫療槍傷，與吃喝拉撒，都由勤務機器人負責協助處理。老頭子來到，實驗室內的機器人先『恭迎聖駕』，而後分別把十三人架出來，反綁在十三個十字架上面，不過並非懸空，眾人的腳都還可以踩在地上。老頭子坐在一台會移動的懸浮倚上，號爲『御椅』，先移動到曲縱橫的面前。看著『御椅』上的電腦光板說：「你叫做曲縱橫，這群特務的頭子，這次在朕的宮殿內動粗，就是你指揮的！你的罪責最重，所以先由你來審判起。」

眾人被他關了好多天，飲水雖然足夠，但是飯食供應得很少，還不時被強灌瀉藥，所以體力衰弱，有氣無力緩緩地說：「你怎麼會知道我的底細？」老頭子神情仍然嚴肅，輕按著光板鍵說：「被告一號，你們所有人的資料，賀嘉珍小姐的電腦上有，她已經投降於朕的麾下。」曲縱橫「哼」了一聲，有氣無力地說：「要殺要剮快動手，這裡除了你之外，沒有人怕死，不要用這種手段整我們大家。」

老頭子哈哈一笑道：「說的好，我相信這個時代，沒有任何囚犯回答的話，能比你還有骨氣了。別急！我們一個個來。」然後按了按光板鍵盤說：「被告一號，曲縱橫。被控罪名是：率隊侵入華夏文明國皇帝宮城，謀殺華夏文明國機器人，意圖綁架皇帝，陪審員說是否有罪？」週邊的數十台機器人同聲回答：「有罪！有罪！」老頭子倒三角眼看他道：「被告還有要答辯的嗎？」曲縱橫冷笑了一下閉眼說：「無聊廢話！」老頭子打了打光盤鍵後說：「被告一號除了被控罪名之外，外加一條藐視法庭，故判處死刑！但辜念初犯，改判囚禁十年，當即執行。」於是左手敲了一下判決板，機器人把他連十字架扛走。

『御椅』又移到李蓮蓮面前，冷冷地說：「被告二號三號，李蓮蓮特工代號鼠殺手，司馬婉瑜特工代號雞殺手，被控罪名闖入華夏文明國，謀殺機器人克莉絲蒂娜二號，攜帶自殺炸彈驚擾國家，陪審員說是否有罪？」週邊的機器人同聲回答：「有罪！有罪！」老頭子倒三角眼看她們道：「被告還有要答辯的嗎？」兩女子也都哼了一聲都不說話。老頭子打了打光盤鍵後說：「被告二號三號除了被控罪名之外，外加一條藐視法庭，判處死刑！念在妳們二位都是年輕貌美的女子，也都是初犯，改判刑五年，當即執行。」左手敲了一下判決板，機器人把兩人連十字架扛走。

又移到張嘉義面前說：「被告四號五號六號七號八號，張嘉義特工代號牛殺手，魯克強特工代號虎殺手，唐山河特工代號龍殺手，陳中居特工代號蛇殺手，江麗麗特工代號馬殺手。被控罪名闖入華夏文明國，謀殺十台機器人，驚擾皇帝御駕駕前，陪審員說是否有罪？」週邊的機器人同聲回答：「有罪！有罪！」老頭子倒三角眼看他們道：「被告還有要答辯的嗎？」五人全部閉眼不回任何話。老頭子打了打光盤鍵後說：「被告驚擾聖駕，罪名嚴重，難以緩刑改判，判處死刑。但辜念賀嘉珍求情，所以改入洗腦室勞動改造，若執行順利，則取消死刑判決。」左手敲了一下判決板，機器人把五人連十字架扛走。

又移到胡慧君面前說：「被告九號十號十一號十二號，胡慧君特工代號羊殺手，何生智特工代號猴殺手，李聚義特工代號狗殺手，宋任行特工代號豬殺手，被控罪名闖入華夏文明國，破壞皇帝聖像，破壞宮殿發電機。陪審員說是否有罪？」週邊的機器人同聲回答：「有罪！有罪！」老頭子倒三角眼看他們道：「被告還有要答辯的嗎？」四人發現先前那些人都沒好果子吃，但本身受死士特訓下又不能對敵人屈服，胡慧君也是有氣無力地開口說：「你若不放我們，元首大人一定會追究到底的。」她身高一米七一，全白漢式套裝長袍，長袍兩腿中有分岔，雙髻髮型，下有垂髮，瓜子臉蛋語言溫柔，十二影肖的選取標準，就是男性要才幹女性要美麗，故她也是美人。老頭子仍嚴肅神情答道：「答辯無據，不具效力。被告破壞皇帝聖像罪名嚴重，難以緩刑改判，判處死刑。辜念賀嘉珍求情，羊肖又是朕年號的尊聖御肖，剛好妳也是屬羊的，所以改入洗腦室勞動改造，若期間願意誠心歸順華夏文明國效力，則取消死刑判決。」左手敲了一下判決板，機器人把四人連十字架扛走。

最後移到談玉琰面前說：「被告十三號，談玉琰特工代號兔殺手，被控罪名兩條。第一條，在紫頂研究所外謀殺機器人克莉絲蒂娜三號，造成華夏文明機密外洩。第二條，闖入華夏文明國，謀殺機器人克莉絲蒂娜二號。陪審員說是否有罪？」週邊的機器人同聲回答：「有罪！有罪！」老頭子倒三角眼看她道：「被告還有要答辯的嗎？」談玉琰低頭不語。老頭子嚴肅著神情答道：「被告重複謀殺罪，外洩機密罪名嚴重，判處死刑當即執行。」左手敲了一下判決板，機器人準備把她帶走殺掉，談玉琰見只有自己要被殺，開口問：「爲什麼只殺我一人？」老頭子按下機器人退後，微笑著說：「因爲機密外洩問題。」談玉琰本不怕死，但是唯獨她要被殺，心有不甘，罵道：「你這惡老頭，我聽命辦事又有何罪？有本事你去殺了元首大人啊！竟然拿我這小女生出氣！」老頭子呵呵一笑，左手又敲了一下判決板說：「看妳嚇成這樣子……妳年紀比朕孫子還小，朕怎麼會殺妳呢？妳的特工表現朕很欣賞，假設願意投降，接受訓練，加入華夏文明國，我可以取消死刑。」

談玉琰有些心動，問：「這跟洗腦有什麼不同？」答道：「真正洗腦機還沒有成功建造，那些人只能是讓其失憶，但他們的技能也就隨之消逝。要重新訓練很麻煩，朕還要考慮是否真正執行洗腦呢。而龍族戰爭已經開始，朕已經派皇孫與賀嘉珍等人，到列島參加對抗龍族戰爭，急需要人手。我華夏文明國也是炎黃子孫，加入我們不算背叛國家。妳能同意我才赦免妳。」

談玉琰不知道該不該答應，她大腦意識中，已經習慣於服從上級的命令，但是曲縱橫在她嚴格訓練的過程中，對她非常惡劣，甚至趁機性侵害，玷汙過她，任務出錯則又打又罵，雖然仍絕對地服從，但不免又有些怨恨。緩緩回答說：「我不能隨便背叛組織的。」老頭子呵呵一笑道：「放心，十二影肖這點子很棒。我會重新改造過，只是領頭的人換成朕。所以妳沒有背叛組織，至於國家層次的問題，我剛才也說過，華夏文明國也要對抗龍族，也是炎黃子孫，所以也不算背叛國家。只是這國家的頭，由僞劣元首那個小人，換成朕而已。立刻回答，朕沒有多少時間喔！」

談玉琰緩緩點頭說：「好吧我答應你，但是其他人你不能加害！」答道：「剛才朕的判決都是有後續安排的，朕保證不殺害一人，而龍族戰爭過後，我會釋放所有人。」談玉琰遂降。

第二幕　第二股弱小域固力

當袁毓真、賀家珍與蔣婕妤等九人與三台機器人，乘坐紅二號，帶領著兩艘潛水艇與眾多機器人，往台灣島奔去之時，楊恒萱已經把初步的人工智能測試成功了。但是程度上，仍然無法像老頭子製造的機器人一般，靈活地與人互動。不過至少已經能讓戰鬥獵犬，更加地應付環境突發狀況，去執行戰鬥任務。

元首大人在腦袋清醒過後也已經知道，兵器製造局需要更久的時間，才可能仿造出克麗絲蒂娜層級的機器人，而賀嘉珍與特工失去聯絡，特工失聯就代表任務失敗，被抓或被殺。鑒於戰局吃緊，龍族開始進攻大東北到中南半島的重點城市，只好先使用楊恒萱發展出來的初級人工智能，搭配機械獵犬，大量生產之。

二月二十六日。

楊恒萱與元首大人通訊，知道了賀嘉珍等人失聯，也頗感不安說：「報告元首大人，據我所知袁續居雖然惡劣，但還不至於傷害人命，紫頂研究所圍捕機器人的時候便可證明。目前當務之急，是把新型機械獵犬量產出來，組織後開始反攻。」賀嘉珍沒有生命危險，元首大人也就安心三分，點頭說：「我已經命令內地所有軍用工廠動工，連民用的工廠都改裝支援了，但是沿海十幾座城市已經陷入戰火，我數百萬大軍節節敗退，又不敢用核武器。你的機械獵犬軍團，真的可以在陸地上抵擋龍族機械軍團嗎？」

楊恒萱實在難以三言兩語，去解釋當中的深層意義，只好微笑著說：「在下願意身先士卒，率領機械獵犬打一戰。」元首大人馬上說：「好，現有機械獵犬已經製造出五百台，立刻改裝你的新人工智能功能。而後你帶著它們到陸軍本部報到，陸軍新任的大將軍郭劍鋒，會安排你支援上海特區的戰鬥。」楊恒萱實在不想親自出擊，如此則破壞域固疊變的演變能力，說這話本意是，給讓元首大人信心，而後他會挽留。沒料到他卻急著把核心研究人員丟到戰場試驗，心中頗爲失望，但已經覆水難收，只好嚴肅著神情，點頭說：「謹遵敕令！」心思：（域固力必然一靜一動，穩定地展現新型態選擇功能，但這人內心真的急了，必然是戰爭讓他有權力危機，故如此失智！這樣下去後果難以設想！）

二十七日，楊恒萱帶著五百隻機械獵犬拜會了郭劍鋒，他調了三百名戰士並請空軍派八架飛機運載，把一千武力通通載到上海特區的外圍。運輸機群到特區外圍時，已經半夜十二點，忽然來了一個怪頭式的巨大飛行器，不但放出數十架如琉球之戰時的空中花型兵器，也放出一大堆怪鐵球落地，落地後變形成菱頭怪蛇，與護盾怪，兩種自動兵器。原來這怪頭式飛行器，是龍族戰術型的空中運輸打擊艦，除了戰鬥轟炸還帶有運輸功能，上海特區上空，至少有上百架這怪頭式兵艦，由一艘巡弋太空的超級戰艦，作整體的戰略控制。

怪頭飛艦

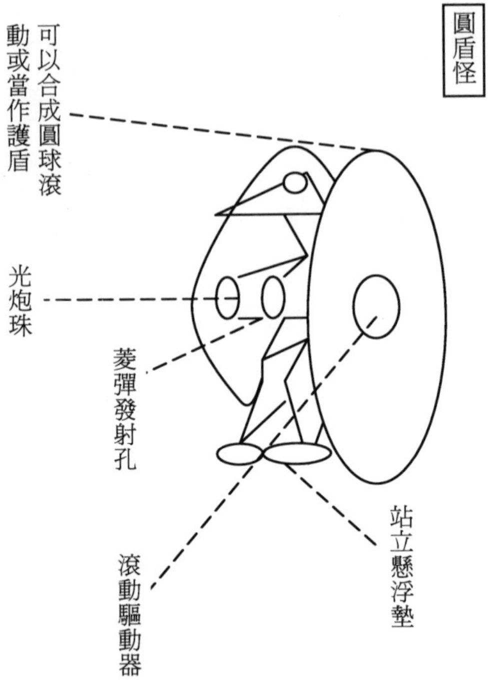

運輸機群遠遠遇到怪頭飛艦，就被飛艦放出的花型飛行器追擊，眾機趕緊迫降，但龍族飛行兵器速度很快，立刻擊毀了兩架運輸機。楊恒萱帶著機械獵犬躲入一旁樹林點名，計算損傷，機械獵犬只剩四百隻，人員只剩下兩百五十人。

帶頭的軍官問楊恒萱：「中行士大人，重要軍官幹部只剩我一人，其他都在被擊落的飛機上，恐怕已經陣亡，我們還能迎戰嗎？」

楊恒萱看了一下他制服上的軍銜與面貌，此人身材魁偉，約一米九，英俊帥氣，但卻顯露懦弱怕死的樣子，便微笑著問他：「上尉大人，可否告訴我你的姓名？」他愣了一下，通常在軍中，這種態度都是要罵人了，不過楊恒萱不是軍人，所以他就坦然回答說：「吳升象。上升的升，次易卦象的象。」楊恒萱冷冷地說：「卦象先生，這次行動是要徹底搗毀，龍族部隊陸上的一支集群武力，顯示機械獵犬能夠作戰，然後佔領上海特區一處，作為敵後游擊力量。必須抱著必死的決心，倘若你害怕那請提早退出，我報告上級說你戰死了便是。」吳升象趕緊笑著說：「不不，你誤會了，我意思是現在由你指揮我們迎戰，我聽你的指示。」

楊恒萱並不回應，操作手上的電腦，四百隻機械獵犬分列四隊前進，然後緊跟著機械獵犬步行入市區，吳升象也只好整隊隨後而行。

市區高樓倒塌，四處斷垣殘壁，路上死屍累累令人慘不忍睹，還有貓犬與動物四處奔逃，因為龍族兵器只把人類及其武力當作目標，而不殺其他物種。槍砲聲不絕於耳，與楊恒萱先前看世界各國的戰爭畫面相似。一行人與機械獵犬，都電腦相連建立區域網路，小心翼翼地往火光密集處靠近，忽然打先鋒的機械獵犬隊，傳送電腦語音給楊恒萱說：「發現敵方陸空聯合武力！」眾人快速警戒找掩蔽，楊恒萱對著手錶型電腦通訊器，立刻回答道：「啓動第三突擊陣！」

機械獵犬四隊，每隊一百隻，三方火力掩護，一方發動突擊，與前方搜索人類殺戮的菱頭怪蛇、護盾怪器與花型飛行器，激烈混戰，吳升象也在後面開火支援。那邊是陸空聯合龍族器，這邊是人犬結合特戰兵，一方是特異科技優越能，一方是域固蠶變新動力，對面要殺光人類構宇陣，這面要挽救同族拯危機。一時雷射子彈交錯，火光炸裂四散，最終龍族這一小隊武力全部被消滅，機械獵犬也折損五十多台，士兵躲著放暗槍故無傷亡。

吳升象與所領士兵大聲歡呼，楊恒萱大聲道：「全部安靜！現在戰鬥才開始！」眾人才安靜下來。

第三幕　宇陣器

楊恒萱看到遠處有一座蘑菇型的龍族建築物，頂上還會閃閃發光，但不似戰鬥武器。此乃龍族執行空間路線的重要宇陣，原本就是要部署在地球上，與龍族其他中繼站的星球，建立空間呼應，在地球方位角宇陣建立後，投射透明體到九九星球，漸進轉移龍族個體與招攬基地，就可以瞬間無時差地將艦隊轉至遙遠的九九星球。楊恒萱雖還不知道那東西到底有何功能？但想必有一定程度的重要性，遂令人犬聯合大隊往該處進發。

大隊人馬走到蘑菇建築物附近時，機械獵犬傳回觀察資訊，電腦呈現語音道：「目標建築周圍二十公尺有強大電磁場，一切電子設備不得靠近。」吳升象也聽到語音說：「那就用定向火箭，在遠處把它轟掉。」楊恒萱說：「等一下！先別躁動！」

而後他拿出一台掌上型的照相機，將該建築物拍攝下來。拍攝第三張時，他從照相機內看到，宇陣後方黑暗的夜色突然閃閃發光，原來又是一隊陸空龍族武力。眾人與獵犬四散找掩護，周圍頓時一片爆炸與火海，當龍族武器逼來近身戰時，機械獵犬與眾官兵跳出掩蔽物迎戰，吳升象更是大聲叫喊並開火猛射，數枚定向火箭往建築物飛去，都被龍族兵器發射光砲攔截。楊恒萱躲在暗處見了，知道該建築物必然有重要性，於是指示所有獵犬發射火箭陣，龍族兵器快速計算彈道，猛烈發光砲攔截，卻有漏網者，一枚火箭將蘑菇柱擊毀，上百公尺高的建築物應聲倒塌。

在轟然巨響中，雙方仍然你來我往開火，激烈交戰。終於又把第二支龍族兵器小隊消滅。收攏而後計算人數，機械獵犬只剩下三百一十架，人員只剩一百七十五人，雖說傷亡頗重，但楊恒萱已經找到戰鬥打擊的目標物，回頭對眾人說：「對方的武器太厲害，我們現在不能再硬碰硬！現在全部退往計畫中的第七集結地，請求援軍支援。」

眾人就地火化戰友遺體與周圍死亡百姓的屍身，緩緩往目標區前進。中途又遇到一架蘑菇建築在發光，但此時龍族集結了更大規模的陸空聯合自動兵器，還一時逼近到楊恒萱面前，楊恒萱週邊是十台護衛機械獵犬，感應光照到楊恒萱身上，但與沿著光進行的破壞砲，還有一些時間差，遂以身抵擋龍族的射擊，保護住楊恒萱的性命。一時混戰成一團，總算把這一大隊龍族兵器與蘑菇宇宙陣給擊毀。收攏後機械獵犬只剩一百八十台，吳升象所領的部隊人數只剩八十人。吳升象道：「中行士大人，弟兄們傷亡太重，必須快點前往目標區。」楊恒萱點頭同意。如此快速的折損率，頗讓眾人害怕，火化屍體之後，快速移動往目標區而不敢尋敵迎戰。

眾人躲入軍隊的地下基地，且休整且求援。楊恒萱把蘑菇型的宇陣器照片投影在牆壁上，心思：（這東西到底有什麼功能？會不會跟最早南十字星計畫中那個隕石內透明體有關？）他直覺地認爲這兩樣東西有牽連，而後突然想到：（若有關係，則這必然與星際往來的技術有所牽連，那麼龍族滅亡全人類的攻擊中，就出現了弱點。）但又突然出現疑問：（若真是與星際往來技術有關係，到底是往？還是來？還是兩者都有？若爲『往』，那麼只要堅持支撐一段時間，龍族就有可能離開，我們不該隨意攻擊它。若有『來』的功能，那麼人類真的完蛋了！）

他雖心思縝密，但也無法用猜測，來保證判斷正確，遂打算自己行動而擺脫元首大人的牽制。

第四幕　登島激戰

二月二十八日。

楊恒萱正在上海特區戰鬥時，袁毓真等人帶隊進入到台灣海峽，開始對台灣島，進行登島收復戰。原本李韻怡與廖香宜爲龍族訓練的奴隸，並不想參與對龍族的戰鬥，但是邦邦都已經與自己種族交戰，若自己的直屬主子爲邦邦，那麼對其他龍族的戰鬥，也等於是在間接幫助自己的直屬主人，在賀嘉珍的勸說下，也勉強接受了。

眾人將攻台隊伍分成四隊，第一隊由賀嘉珍指揮，帶領李韻怡與廖香宜，搭配三百架戰鬥機器人，由台灣南部登陸，沿西海岸往北打攻下台中重點城市。第二隊由袁毓真指揮，帶領克莉絲蒂娜與夢蘿兩台機器人，搭配三百架戰鬥機器人由台灣北部登陸，沿西海岸往南打，目標也是台中重點城市。第三隊由蔣婕妤指揮，帶領姜麗媛、黃敏慧、歐陽玉珍與何佩芸，搭配四百架戰鬥機器人由台灣東部登陸，攻下重點城市後，越過中央山脈往台中與另外兩隊集合。三隊分別由潛水艇放置到登陸地。第四隊是夢彤機器人乘坐著紅二號，去內地找尋所有人的親屬，將之安排在首都安全之處。

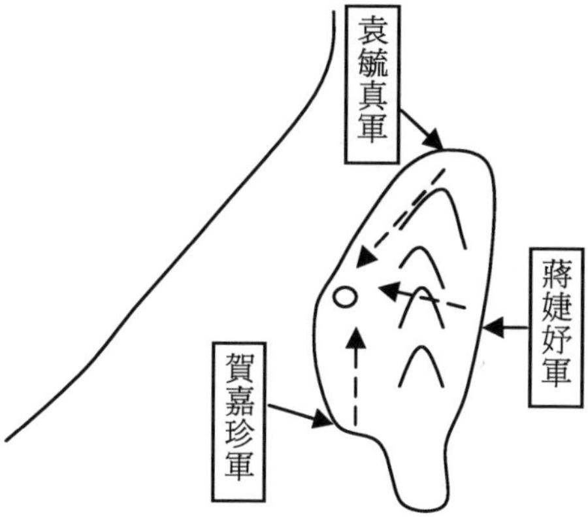

話分三路，賀嘉珍手提著通訊器，李韻怡與廖香宜兩女仍舊紅白服裝，雙手食指都有金屬套，此爲海底基地時的龍族兵器，前後都有戰鬥機器人護衛而前。在台灣南端登陸後，找到了一台廢棄的民用懸浮車，三女坐在車上帶領機器人作戰。台灣島上的人幾乎被龍族殘殺殆盡，所以龍族的武力並不強大，只有零星幾隻自動武器搜索小隊，賀嘉珍一路勢如破竹，很快就到達台中，並救出了許多倖存者。蔣婕妤與眾女子都穿著藍色漢式女套裝，四名女兵如九宮幻方時一樣，各持自己所擅長的武器或裝備，率機器人在東部登陸後，也是沒有遇到多少敵人，用民用懸浮車率領機器人緩緩前進，穿越中央山脈的崎嶇山路，不到三天就與賀嘉珍在台中會師。而潛水艇最後才將袁毓真所屬的機器人放置於台灣北端，所以遇到大批怪頭飛艦，從東瀛島載來龍族兵器，亦是由蛇怪、護盾怪與花型怪，三種龍族自動兵器組成的陸空大隊。袁毓真率隊一路且戰且走，克莉絲蒂娜與蘿蘿右手離子砲左右護衛，兩天激戰下來，所屬機器人在激戰中逐漸損毀，等逃到了新竹地區的時候，已經只剩克麗絲蒂娜與夢蘿兩個護衛機器人了，等於是一場大敗。

三人趁夜晚逃往山上，袁毓真氣喘著氣，用克莉絲蒂娜左手通訊天線，向賀嘉珍與蔣婕妤求援，但是兩人在台中會師之後，也遭遇了大批龍族部隊，暫時也分不開身。

克莉絲蒂娜收回左手通訊天線說：「皇孫殿下，我的通訊天線無法連絡海底的皇帝陛下，兩邊的救兵都來不了，我們得另外想辦法。」袁毓真還喘著氣說：「好了，別叫我皇孫殿下，叫我毓真大哥就可以了。」夢蘿學習程式很迅速，發聲說：「毓真大哥，我掃描器發現一百公尺外有移動物，但沒有生命訊號，一定是龍族自動兵器追過來了，我們得快點離開這裡。」袁毓真喘著說：「已經跑了一整天，都是殘破一片而找不到車，我實在跑不動了。」克莉絲蒂娜與夢蘿右手同時轉制成離子砲座，展開警戒動作，夢蘿急著說：「毓真大哥快一點，這批兵器爲數不少，已經沒有辦法拖延啦！」袁毓真苦著臉，挺起腰往前跑，並抱怨說：「兩次被他害慘！我發誓再也不聽老頭子的安排了！比元首那個王八蛋給的任務還要難過！」兩個女機器人隨著他左右往深山躲去，然而前方山路突然冒出五台圓盾怪，兩女機器人掉轉砲頭，一前一後輪番猛轟，袁毓真立刻趴下不敢動作。火光交錯，雖然已經擊毀攔路兵器，但夢蘿身中密集的砲火而倒地。

袁毓真爬起急道：「蒂娜，快看夢蘿還有救嗎！」克莉絲蒂娜說：「她核心記憶體並沒有損壞，但是身軀已經損毀，我把她腦中的中央處理器暨記憶體取下後，趕緊離開！」袁毓真說：「那就快做吧！」她打開夢蘿頭蓋，取出一發光的橢圓體，這即是中央處理器兼記憶體，交給袁毓真之後，繼續往深山逃，兩人最後躲在一個岩石夾縫中。克莉絲蒂娜扛起一大石頭塞住洞口，以躲避龍族自動兵器的掃瞄追蹤。

在黑暗中，袁毓真用夢蘿的中央處理器光芒照明，袁毓真喘口氣，緩緩地問：「妳跟夢蘿是同一個型號的機器人嗎？」克莉絲蒂娜微笑了一下說：「從智能等級到基本骨架、裝甲、戰鬥功能等等都相同，不過我的子宮結構與男女互動模式，比夢蘿更加逼近真人狀態。」袁毓真呵呵笑了一下問：「男女互動模式？難不成老頭子要拿妳來當情人嗎？可別說妳是我的繼祖母。」克莉絲蒂娜說：「不是，陛下設計這種模式，是要我滲透人類社會的，我跟趙仰德做愛好幾次，他完全看不出我是機器人。」這件事情袁毓真不知道，大吃一驚地問：「不會吧？那隻爛色情豬還真畜牲！那妳的任務完成了嗎？」克莉絲蒂娜說：「只完成一半我就撤退了，因爲跟我同型號、同樣貌，滲透在紫頂研究所的機器人，被楊恒萱識破，激戰中被擊毀，身軀也被俘虜，我不得不撤退。」袁毓真才感覺到楊恒萱此人智計過人。

袁毓真長噓一口氣道：「找妳這種逼真的機器人當情人也好，不會鬧情緒，不會小心眼，不會偷情，不會放棄，不會離開，程式要妳當什麼角色，就當什麼角色。可惜妳是老頭子製造出來的，還跟趙仰德那隻畜牲兼騙子有染。」克莉絲蒂娜微笑說：「毓真大哥的質疑沒有道理，陛下製造人工智能技術是人類中最強的，而我跟趙仰德互動過後，更加地有男女互動的實際對比經驗。」袁毓真瞪大眼傻笑道：「呵呵，對比經驗……妳大概還不知道我們人類的各種微妙心理，這兩點都是會介意的。」克莉絲蒂娜說：「這我知道，只是我的程式告訴我，你的心理狀態是不符合最佳選擇方案的。若要跟我男女互動，那麼兩者都要學習，才能有最佳互動結果。至於生殖後代，你可以找那些與你同行的人類女子。」袁毓真拿起發光的夢蘿處理器，傻笑著說：「好吧！我學習『不介意』。」

忽然岩石上方傳來細微地龍族兵器擾動的聲音，兩人同時安靜下來，但龍族兵器已然發現兩人，對著岩石上方開火，掉落不少石塊。克莉絲蒂娜迅速左手抓起袁毓真，右手用力一拳把遮擋的石頭擊碎，衝出岩縫外。邊跑邊轉成離子砲座，不斷放回馬槍，兩人奔跑周圍，彈爆四散，一片火海，險象環生，一台花型飛行器、一台護盾怪與一台怪蛇，組成一小隊而緊追不捨，克莉絲蒂娜忽然翻轉以身護之，急道：「你快走！我來擋它們！」袁毓真苦臉地說：「剩下我一人也沒辦法生存啊！」

正當兩人以爲死期將至時，忽然三枚快速飛彈把三機器擊毀，原來是夢彤駕駛的紅二號任務完成，緩緩降落。袁毓真又一次險中得生，感動得哭了出來。兩人遂登上紅二號，飛往台灣中部與另兩支攻台部隊會合。

第五幕　宇陣技術

紅二號到了台中，賀嘉珍與蔣婕妤兩隊也順利擊退龍族兵器，眾人在蘑菇狀宇陣器下會合，所幸除了機器人外，都沒有傷亡，只是吃些苦頭而已。蘑菇高塔豎立在山丘上，一丘一座，連綿五丘，眾人在山丘下望之參詳許久。賀嘉珍問李韻怡：「這東西妳認識嗎？」李韻怡剛要開口，就被廖香宜阻止。賀嘉珍知道廖香宜的心思，微笑著對她說：「白妹妹，妳這次幫我們很大的忙，尤其金屬手指光砲，幾乎百發百中，我對妳非常感謝。妳能告訴我那是什麼東西嗎？」

廖香宜勉爲其難地聳肩說：「龍族宇陣器，是採取空間路線的龍族主人們，『零時差』轉置空間的東西。」袁毓真聽了才突發與楊恒萱相同的直覺，皺了眉頭若有所思地問：「這跟南十字星計畫中，那個透明體有什麼關係？」廖香宜內心把袁毓真當作『情敵』，所以沒有回答。

李韻怡搶著答道：「龍族宇陣器分成兩種，一種是尖塔狀，另一種就是眼前這個蘑菇狀。兩者之間互動狀態有點像古代的『陰陽觀念』。」廖香宜皺眉輕推了一下她的肩膀，頗是曖昧，似乎要阻止她說下去。袁毓真裝沒事地接口說：「次易原理作者，對陰陽二元體制的定義是：在同一統制區間內，分化出相對性等價的兩互動，此互動又可以建立新的統制型態。此兩互動就可以稱為『陰與陽』。兩儀生四象，四象生八卦就這樣來的。這東西也是依照這種法則嗎？能不能夠詳細說清楚？」

李韻怡撇開廖香宜，走到袁毓真面前說：「沒錯，大致就是依照這種法則，穿越廣大的空間阻隔的。眼前的蘑菇宇陣器是『招引物質』的功能，而尖塔宇陣器是『發射物質的功能』。首先，龍族主人先在母星球建立大量的尖塔宇陣器，但是在目標星球沒有蘑菇宇陣器配合的狀況下，則發射物質的質量，非常有限！所以最多發射一個透明轉置器，到目標星附近。讓它外表包著岩石，如隕石般降落，這透明物體可以探測星球上的各種生存條件。而後與投射的母星，相呼應而增加一些投射質量，但這種透明體數量投射再多，也不能增加質量了，那就得讓會製造完整功能宇陣器的龍族個體轉移過來，這星球就必須要符合龍族的生存條件。而人類南十字星計畫，就在這階段開啓的。而海底基地實際的功能，除了製造武器防備人類，最重要就是製造蘑菇宇陣器，然後裝載透明物體內的導向系統，那就可以瞬間轉移龍族的宇宙戰艦，而沒有物理速度造成的時間差，繼續製造功能更強大的宇陣器。這樣就達成大量艦隊宇宙航行的目的了。不過這種方式還是有距離限制，所以要從天文觀察的星際圖當中，找尋中繼站，逐步用此法轉移到目標『九九星球』上面。地球就是龍族的中繼站之一，下一個就是九九星球了。」

終於知道龍族遠距離宇宙旅行的秘密了，但是在人類沒有大規宇宙艦隊的狀況下，就算有這一切的技術也無用。賀嘉珍嘆口氣道：「爲了這人類還無法運用的技術，我們竟然去招惹龍族，演變成今天這局面，真是可悲！」

蔣婕妤說：「這也不能全怪我們，龍族既然要把地球當作中繼站，就算沒有南十字星計畫，牠們一樣要在地球上建立宇陣器，這遲早也會與人類發生衝突。倒是這些宇陣器不只一個，但需要最早投射的透明體來導向，那麼代表這宇陣器組成的系統具有核心關鍵。只要我們破壞它，那麼就可以暫時阻止龍族部隊的大量增援了！」

李韻怡怒目道：「喂！我告訴妳們這些事，可不是讓妳們對付龍族主人的！」蔣婕妤也被激怒，反擊道：「喂！妳這小母狗真是賤婢也！妳沒看到自己同類快被殘殺殆盡嗎？」兩女吵了起來，袁毓真急忙站在中間阻止：「都別吵了！」然後對李韻怡說：「阻止龍族這空間路線，說不定也是在幫助邦邦主人，讓龍族採取時間路線。這樣既可以讓龍族不必自相殘殺，也可以讓人類得以生存，這樣不是很好嗎？」李韻怡見他說得有理，紅著臉緩緩說：「好吧，我幫助妳們。不過龍族艦隊已經到達，就算破壞了核心關鍵，龍族仍然可以重新建造，不可能阻擋牠們來地球了。所以打擊的矛頭，應該是轉向空間路線的龍族，阻擾龍族空間路線，而幫助邦邦主人找到時間路線。」

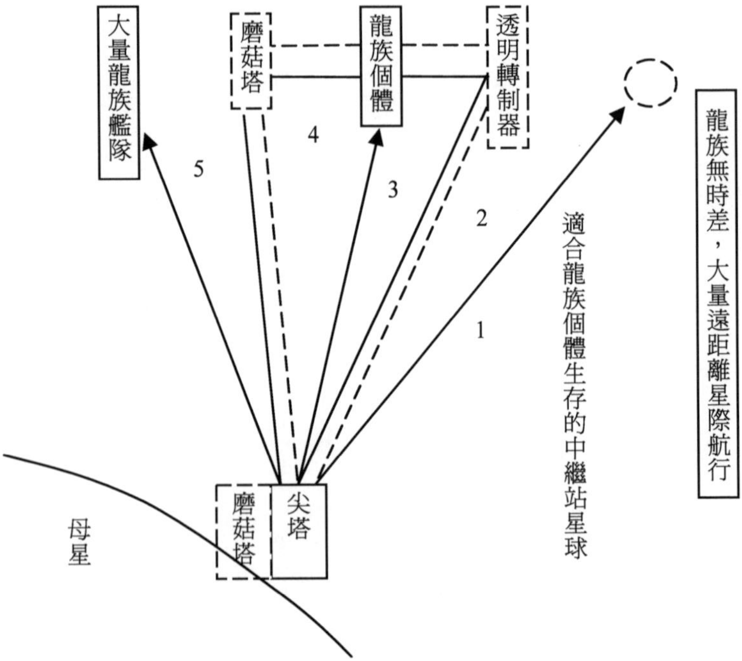
大量龍族艦隊
磨菇塔
龍族個體
透明轉制器
龍族無時差，大量遠距離星際航行
5
4
3
2
1
適合龍族個體生存的中繼站星球
磨菇塔
尖塔
母星

於是令所屬機器人與紅二號，把眼前的幾座宇陣器全數摧毀。

之後賀嘉珍把這些技術作出一種觀察與整理，寄了一封電子錄影訊息，到楊恒萱的信箱當中，履行先前對他的承諾。

雖然戰火燃燒列島與沿海，但內地的網路訊息仍然連通，楊恒萱收到訊息之後，彙整兩幫人在戰鬥中的一切訊息，與這項技術的探測成果，轉寄給元首大人知悉。

智慧四人組終於得知宇宙航行技術的概要，元首大人將有何反應？老頭子又將怎樣運用降服的談玉琰？欲知後事如何，且待下象分解。

第十九象　主力降至天煞雷霆滅人類危難受命社會賢達擔大任

第一幕　增兵總攻

啓易三年，三月二日。

月球環球軌道，龍族最先進的宇宙戰艦『剔哈蚵蚵』。

達達、卡卡、嚕嚕、塔塔、咕咕，審判邦邦的五條龍，爲主導空間路線的核心思維學者，同時負責指揮這次進攻人類的行動。五條龍收到來自地球自動兵器的彙整報告後，都頗爲驚訝，呱呱地展開口技，作思維討論。

咕咕大意是說：「地球上最後一個人類國家中，出現能擊敗我們戰術兵器的兩股勢力，還摧毀了七座宇陣器。這跟我們之前所認知的人類能力大相逕庭！這會不會是邦邦那個叛徒暗中支援的？」

塔塔同時發聲，但是並不會干擾五龍的傾聽與交流，大意是說：「不會是邦邦，他們運用的武器，大多不是龍族的武器。戰術也與龍族不同。」

卡卡也同時發聲：「當中有兩個被邦邦訓練過的人類奴隸，但是並不佔主力的位置。」

嚕嚕也同時發聲：「兩股人類勢力都停留在戰術階段，相互之間的武器也不盡相同，可見是人類自身的行爲誘變！」

達達『乎珠』一聲，代表四種觀點彙整成一條結論，五條龍同時得出結論喊道：「生物自擇體系當中的『域固蠶變』！」

然後五條龍又同時搖晃幾下頭腦，代表以這結論作基礎，繼續思維溝通。

咕咕：「人類有這種變易思維嗎？還是不經意地自擇天翦現象而不成氣候？」

塔塔：「在人類學術系統中，地球時間兩百多年前，有人提出這種觀念，只是屬於非主流思維學者。」

卡卡：「這兩股力量有壯大的跡象。」

嚕嚕：「一定要保護宇陣系統，與星球之間往返通道的順暢！」

達達『乎珠』一聲，彙整成一條結論，五條龍同時喊道：「龍族主力全部出動！不能讓他們阻礙空間路線！」這種溝通與討論的方式，能非常快速地整併不同的思維，並激化龍族智能，運行最高程度的運作。

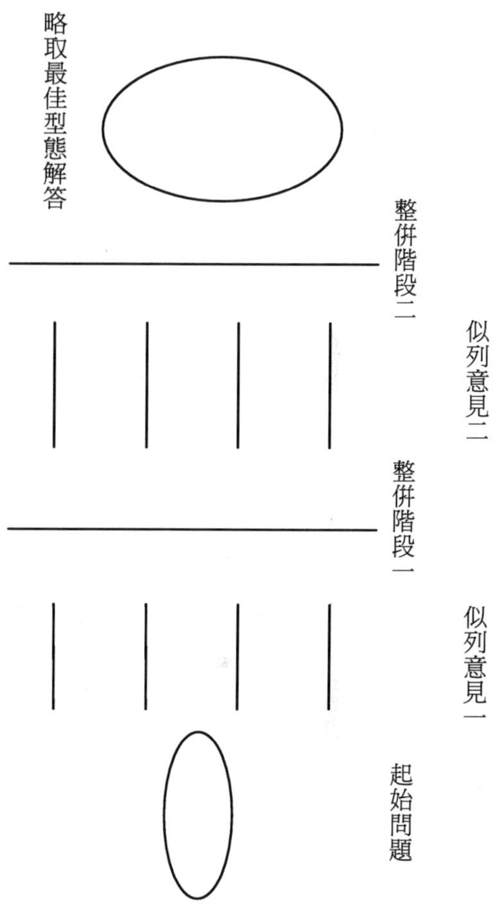

於是利用已架構好的宇陣路線，零時差地發送星際書信，到龍族數個中繼站星球與母星。龍族的主力部隊逐漸集結，陸陸續續跳躍過來，協助現有的龍族部隊，清理地球上阻礙宇陣部署的人類勢力。

同時間，首都新河洛，元首大人府邸。

元首大人得到了楊恒萱與賀嘉珍的告知後，頗爲欣喜，對全國宣布收復台島並準備派軍接受，且在會議上宣布『南十字星計畫有了初步成果』，但是刪除袁毓真在台島之戰的貢獻。不過與會的所有軍政官員，卻很難擠出笑容，新任戰略宇宙軍大將軍吳得光，謹慎且嚴肅地說：「恭喜元首大人，得到戰爭的利器。不過據宇宙軍最新發射的迷你隱形衛星探知，外太空的龍族宇宙戰艦數量大增，出現了兩百多艘。預估一但這些戰艦投入戰爭，各型號龍族兵力會變成先前總兵力的六倍……先前兵力，已經足以消滅世界其他國家，現在整裝六倍打我國，怕我國現有的兵力似乎……」話有些說不下去了。

元首大人才收拾笑容，對著兵器製造局長說：「上海實戰中，已經證明機械獵犬是強悍且靈活的自動武器，你現在生產了多少？」答道：「報告元首大人，已經生產了三千多台，且陸續調集民間所有工廠協助，預計往後每天生產七千台。」元首大人說：「好！生產出來就立刻配發到各部隊去！然後陸軍開始擬定收復列島與沿海城市的戰略進攻！倘若成功，就派部隊支援其他國家的地下游擊隊，以分散我們的戰爭壓力！」

於是兩個種族重新調整戰力，進行最後一場總拼殺。

第二幕　到案說明

袁毓真等一行人進入台灣島中部深山。台島上的大部份人，不是往內地避難就是被龍族消滅，所以深山中沒有看到其他人煙，而天空中不時有龍族怪頭飛艦的巡邏，眾人已經被困在深山出不去了。

機器人兵力已不到百架，眾人把紅二號隱藏在樹林當中，當作旅館，不敢隨意出去，而等待老頭子主力部隊支援，以擴大戰果。但是潛水艇已經返航，與海底基地之間的連絡已經中斷。

眾人等了一個月，到了四月二日。儲存的食物快用光，洗浴與飲水都得蒐集山上的溪水來用。兩台女機器人帶領著眾多護衛機器人，不需要睡眠，在紅二號外圍日夜警戒。

賀嘉珍這幾天常常感覺噁心，跑廁嘔吐。在當參士之前，男女關係很亂，她曾經有過懷孕與墮胎的經驗，所以這種身理反應後，她馬上直覺到這是懷孕。心思：（糟了，這是元首大人！）以爲避孕已經很周到，但是還是懷上了他的『龍種』，自然是不敢對眾人說。

袁毓真睡在紅二號倉庫，而眾女子睡在紅二號指揮室與沙發，這一個月眾人閒聊而不敢出外太久。正午十點，眾女子開袁毓真玩笑，蔣婕妤問：「你這一個月太幸福了，可以跟這麼多女生住在一起，有沒有對誰動心啊？」袁毓真傻笑著緩緩說：「有的，我對所有人都動心啊！」包括廖香宜在內的所有女孩，都露出笑容，但是神情卻含有不屑，只有李韻怡紅著臉沒笑。

姜麗媛對身後的歐陽玉珍說：「他已經不只一次給這種答案，我看這男人肯定是花心大蘿蔔的。」袁毓真苦著臉說：「妳們以前都交過男朋友也，還敢這樣說我，實在是禿驢笑和尚沒有頭髮，這也笑得出口。」

廖香宜說：「誰說的！我跟紅以前就沒有男人。」袁毓真立刻開心地回答說：「那我就喜歡妳們好了。」李韻怡一直沒有機會表達，趁此回答說：「好啊！那你要對我們好一些喔！」眾女生一陣嘻笑，這幾天廖香宜看夠兩人的曖昧了，氣得立刻翻臉對李韻怡說：「夠了！我受夠了！紅，現在妳說，到底是喜歡我還是喜歡這個臭男人！」李韻怡紅著臉不答。

眾人雖已經懷疑她們是同性戀，但是還沒有這樣公開掀出來說，袁毓真苦笑著問：「妳們真的是同性戀喔？」廖香宜回答說：「沒錯！早在我們被龍族收服之前，還是學生的時候，就已經約定好當永遠的情人了！甚至我們還要結婚！」場面實在又荒唐又誇張，眾人全部瞪大眼，說不出話來。

李韻怡所幸也翻臉說：「好了！白！我也說明了吧，我要跟男人在一起，我們還是當姐妹！這種關係太噁心了！」廖香宜頓感天崩地裂，世界末日來到，當場就哭了出來。李韻怡說：「一次說清楚就好，我辜負了妳，但是妳不感覺這種事情很噁心嗎？」廖香宜收拾眼淚說：「好吧！既然妳把事情說清楚，我也就不多說了。」說罷，欲往紅二號飛碟外走出去。

袁毓真急忙道：「外頭危險！」但是廖香宜仍頭也不回地出去，此時賀嘉珍才從廁所中出來，問了什麼事情，蔣婕妤聳聳肩說：「她與李韻怡之間的『愛情問題』。」賀嘉珍說：「紅二號，通知夢彤小隊，保護廖香宜。」紅二號電腦答道：「收到，立刻通知。」

忽然觀景的特製視窗螢幕，投射出克莉絲蒂娜的視訊，急忙說：「報告毓真大哥，山下數公里處出現戰鬥狀況，估計是人類與龍族兩方在作戰。」眾人這一個月悶得慌，有了轉機都感欣喜，賀嘉珍沉著冷靜，轉而指示道：「蒂娜，妳跟夢彤立刻把廖香宜帶回來，並派幾台機器人去看戰況如何，我們可能可以得救。」

兩機器人把她順利帶回，同時一台觀察機器人傳訊回報紅二號：「人類軍隊數量眾多，已經把龍族巡邏部隊消滅了。」賀嘉珍看到視訊，開心地說：「這是楊恒萱發明的戰鬥機械獵犬，真的得救了，戰鬥機器人先不要動作，以免造成誤會，我出去跟他們表明身分。」袁毓真說：「這樣太危險了，不如我與蒂娜都跟著妳去吧！有萬一也可以策應。」

三人一同下山，賀嘉珍對著遠處的軍隊大喊救命，一名軍官把他們三人帶到營區。因爲紅二號空間有限，原本打算釐清問題之後，讓軍隊給剩下的機器人軍團讓路，但可以說很巧合，也可說非常不巧地，竟然在營區遇到了行宰大人。行宰大人看到袁毓真與克莉絲蒂娜，立刻指揮部隊警戒，賀嘉珍說：「行宰大人您別緊張，袁毓真是來幫助我們的，他的機械人也幫了我們很大的忙。」

行宰大人在紫頂研究所之事後，知道克莉絲蒂娜的厲害，露出笑容地說：「這我知道，妳跟袁秀士對收復台灣，與南十字星計畫的實踐都有貢獻，袁秀士的事情，我會在元首大人面前說清楚的，你們不用那麼緊張。」

袁毓真看了看周圍的軍人與機械獵犬，笑著說：「報告行宰大人，既然我有貢獻，那也就是沒罪啦！那麼我們現在想要離開這裡，可以嗎？」

行宰大人露出令人值得思索的笑容說：「何必急著走呢？元首大人那邊其實也是誤會，

我認為你跟我們一起回去，也比較安全。」袁毓真感覺不對勁，也緩緩笑著以回應他的笑容說：「如果我堅持要走呢？」此語一出，兩人的笑容同時消失。

行宰大人嚴肅地說：「我可以代你向元首大人說情，但是通緝令，這是國家法律的問題，有必要強制請你『到案說明』！」袁毓真轉而繃著臉說：「誰理你的『到案說明』？蒂娜，通知機械人大軍，假設他們敢綁架我們，就讓它們進攻這裡！」眼看兩方要打起來，賀嘉珍趕緊打圓場說：「行宰大人，這次行動我直接對元首大人負責，袁毓真也是我請來的。且先讓我們離開，『到案說明』的事情，我會親自跟你以及元首大人報告的。」

賀嘉珍畢竟是元首大人的『寵妃』，首都高層周邊的人際圈子，也都把這項緋聞傳遍了，行宰大人自然略有耳聞，不看僧面看佛面，遂點頭說：「好吧，你們可以離開，但是希望賀參士說話要算話。」賀嘉珍露出甜美的笑容說：「這是一定。」

於是放三人回深山，回到紅二號後，賀嘉珍對眾人說：「你們離開吧，我還要在台灣找尋我的親人，之後還要回首都找元首大人。」眾人這段時間，依賴賀嘉珍的智謀得到安全，頗不希望她離去。

蔣婕妤問：「嘉珍姐，別那麼急著讓我們走嘛！找家人的事情，軍隊不會幫忙的，也需要我們幫助妳啊！」賀嘉珍臉色靜謐，不漂亮的臉蛋，卻有著過人的氣質，微笑著說：「這件事情我自己會做，趁現在龍族部隊被驅離，妳們趕快抓緊時間離開，不然老爺爺會擔心。我相信後會有期的。」

袁毓真說：「我看這樣吧！除了夢彤與蒂娜跟我們走，剩下的戰鬥機器人，就留下來協助妳尋找家人，妳在事成之後要主動聯絡我們喔。」

遂依此而行，八人與兩台機器人乘坐著紅二號離開，回老頭子的海底基地。

第三幕　新任行宰大人

四月三日。

正當眾人離去，元首大人也以為順利收回台島，正想要一舉收復東瀛四島與庫頁島時，龍族在太空的主力戰艦群，釋放鋪天蓋地的怪頭飛艦，往人類最後的國家撲殺而來。

除了剛收復的台島又陷入與龍族的激戰，沿海城市、本土各地乃至於世界其他國家地區，都遭到進攻與徹底掃蕩。各地陸續傳出戰敗消息，各國的地下流亡政府再一次遭到打擊，已經用各種方式，對龍族宣佈徹底投降，但是龍族的進攻似乎仍沒有停歇，而且仍然不殺戮其他生物，純粹就是針對滅亡人類而來。

台島的十萬官兵，與三千多台機械獵犬傷亡慘重，行宰大人的座機在回首都途中，遭到龍族太空上方的自動飛行兵器突擊，墜機而亡。

四月六日。元首大人府邸，眾官員低頭默哀，除了悼念陣亡將士與傷亡百姓外，也悼念英勇的行宰大人。

眾官員哀悼完畢各自回座，元首大人說：「現在龍族兵力激增，還多了好幾種新型號的戰鬥兵器，我們除了要重新部署新生產的機械獵犬外，還要快點研發新型態的武器！」轉而對兵器製造局長說：「你手下的那些科學家，到底有沒有新的發展啊？難道都是吃白飯的嗎？」

局長採取迂迴牽拖方式回答：「科學研發人員正努力研究楊恒萱送來的一個新武器製造方案，就是有飛行功能的機械獵犬，所有人正在研究當中，很快就會有新兵器了。不過楊恒萱對我們局要求，把上海區還有青島區的地下兵工廠，都轉讓給他來管理，幫助他發展更新武器。這項要求是否能答應？」

元首大人想到了他與賀嘉珍，老早就提出的『域固蠶變』的方案，雖然同意，但心中頗有疑慮而沒有認真執行，如今局面焦爛，正是急病亂投醫之時。馬上說：「立刻答應他！並請他趕快生產更新的武器出來！」局長點頭稱是。

接著就是與軍方討論部隊部署，最後就是要求大家提出，新任行宰大人的人選。曾有能看出他的心思，知道行宰的任務是代替元首行事，元首大人在龍族戰爭之後，都躲在首都地下碉堡內，行宰大人就要代替他巡視各戰場。而真理部長地位僅次於行宰大人，下一任極有可能讓他來接任這危險的職務。

曾有能說：「報告元首大人，而今戰局緊急，人事任命的事情是否可以延到以後再議？」

元首大人搖頭說：「不能，戰爭最重要的就是士氣與民心，行宰一職就是代我行事，所以今天一定要議出來。」

於是眾官員提議依照人事升遷的慣例，讓曾有能升任行宰之職。

曾有能汗流浹背，知道自己若推辭，就讓元首大人看穿他怕死，必有後續懲罰，但是接受這職務就可能會真的去死。怎麼辦？於是拿出他在官場打混中，最高段的牽拖本領，謹慎地對元首大人說：「在下願意萬死不辭，奔赴戰場替元首大人辦事。不過現在局面緊張，行宰一職非常地重要，若非賢能不能堪任，希望是一位社會賢達來擔任這個職務。一方面讓老百姓感覺氣象一新，不是官僚老面孔，另外一方面也能凝聚社會大眾對政府的聯繫，不會讓不肖之徒趁亂分化政府的權力。而後我與新任的行宰一起奔赴戰場四方，執行元首大人的意志。」

這句話說得無懈可擊，他表白自己不怕危險，也道出局面混亂的時候，政府需要凝聚人心，以防止權力分散的死穴。

元首大人沉吟片刻，點點頭問：「既然如此，曾有能，你有什麼人選提議嗎？」曾有能答道：「我建議趙仰德來擔任這次職務，他既是『社會賢達』，也是最早研究龍族事務的民間人士。相信讓他出任此職最合適。」趙仰德不在場，只要元首大人發出任命狀，大家鼓掌通過，他也就不能拒絕了。而後他在與趙仰德的配合出任務中，怎樣去轉圜任務的達成，那就容易放置文章了。

元首大人接著點頭道：「那就讓趙仰德擔任此職，由你來輔佐他一起代行視事。不過他願不願意接受這職務呢？」曾有能答道：「這由我來跟他解說國家當前的困難，他一定願意的！」於是元首大人先發了任命狀，讓他通知趙仰德。

第四幕　兩個域固蠶變的歷程

楊恒萱得到上海區與青島區的地下兵工廠後，即刻執行自己的計畫。

袁續居與楊恒萱域固蠶變計畫比較

三階段域固區域

楊恒萱	第一階段蟄伏 紫頂研究所	第二階段擇徑 上海地下兵工廠	第三階段塑變青島地下兵工廠
袁續居	第一階段蟄伏 浙江居所地下室	第二階段擇徑 海底基地 龍族戰艦（失敗）	第三階段塑變 改造海底基地

三階段蠶變過程

楊恒萱	初級人工智能與機械獵犬技術	機械獵犬四象組合體	機械獵犬八卦塑變體
袁續居	三十年投入而得的成熟人工智能與機器人技術	量產化，成戰術層次的機械大軍	結合龍族技術的機械軍團

這段時間楊恒宣都在研究新型態兵器。上海區地下兵工廠，模具皆屬於機械鋼鐵的技術，而青島區地下兵工廠還擁有生化技術的材料。楊恒萱即刻下令改造這些模具，以塑造自身域固蠶變的進程，儘管外頭戰火打翻天，仍然穩定地進展下去。正在上海區已經淪陷，戰火擴及內地各城市，龍族只在這城市留下少數巡邏兵器時，城市上空、陸地、海邊、地下，出現大批不同機型的機械獵犬。

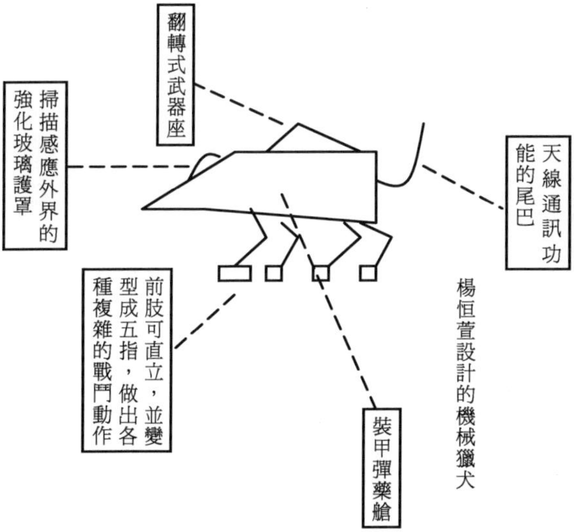

楊恒萱設計的機械獵犬

這些變型制的機械獵犬，是由原本的機械獵犬當作素體，加噴翼而飛，前頭改裝鑽孔機而能遁，背後加上小潛艇舵儀而能潛。由原本的一象作戰，成爲四象分散的聯合作戰。除了攻擊龍族的少數巡邏隊，且開始進攻牠們的宇陣器。

龍族的主力部隊畢竟已經到地球，見到大規模的新兵器，認定這區域就是人類域固蠶變的地方，從宇宙中放下大量的怪頭式飛艦，群集於上海區上空。先是發射大量的戰略光束砲轟炸，接著就是大批的自動兵器降落，與殘存於地下、水裡的四象機械獵犬交戰。

山東山區，楊恒萱一行只剩三十人，帶著十台機械獵犬，騎著驢馬，正沿著山路往青島地區走。

吳升象問：「中行士大人，我們不在上海區眾多機械獵犬安全之處，怎麼偏偏要花這麼多天的時間，帶著這麼多奇怪的模具，用最原始的方式前往青島呢？」楊恒萱冷冷又簡單地回答：「上海已經不是安全處，我們對付的可不是人類。」吳升象又問：「那麼何不找一台車來坐呢？」

楊恒萱停下腳步，冷笑著看著他說：「你沒見到一路上那麼多被炸毀的車嗎？假設你還有你手下弟兄，不想動的話我不勉強，可以立刻離開。但是信不信由你，現在青島區域已經是最安全之處。」吳升象這幾天已經感覺他智計過人，現在軍隊建制被打亂，各城市都遭到大規模進攻，跟著他必定比較安全，只好尷尬地笑著說：「您是文人，都還能吃得了這種苦，我們是軍人當然不能喊苦啦！請您帶路，我們繼續元首大人給的任務。」

一行人到了山區裡面的地下基地，總算可以好好休息下來，不過基地內的人員跟上海區的人一樣，都已經逃走一空，只能靠自己帶來的人，動手組裝生產線。楊恒萱睡不到幾小時，又馬上監督行動。

龍族在上海的掃蕩部隊連續好幾天，這區域已經沒有人類，但是仍然持續從海底或地下冒出四象機械獵犬，數量雖然不多卻能造成不少龍族兵器損滅，甚至還會偷襲怪頭飛艦，造成上面的龍族個體傷亡，因此也已經陣亡了三百多名龍族個體。龍族從而判斷出有人類地下工廠，會自動生產相同的武器。所以捨棄生物體掃描方式搜索，展開地毯式地孔穴稽查，最後自動兵器攻陷這生產工廠，果然是設計好的自動生產在作怪。

這是楊恒萱借用袁毓真，第一次海底基地探險時，獲得四象回返法則的心得，來設計的行動方案。機械獵犬一邊戰鬥，一邊會撿拾廢鐵與材料回工廠，重新啓動生產模式，直到工廠的模具都損壞，或被龍族攻破爲止。龍族攻破這裡之後，大爲吃驚，使用小型太陽集束巨砲，調整適當的能量放射，把地下工廠炸成灰燼。

第五幕　燙手山芋

四月八日。

眾人回到海底基地後，發現老頭子正在教導兔殺手談玉琰，各種特殊科學器材的操作，袁毓真氣得大罵：「我們在台灣被龍族包圍一個月，苦等你的救援你不來！竟然在這邊『訓練』一個比我年紀還小的小妹妹！九十多歲了還這樣老不修，祖母在天之靈也會發怒！」

老頭子也吹著白鬍子回罵道：「你已經二十八歲啦！請問你破身了沒有？我的孫媳婦賀嘉珍呢？我的曾孫又在哪裡？你既然不能幫我傳宗接代，我就自己再婚，再從生兒子開始！」

袁毓真又罵：「賀嘉珍找家人去啦！誰像你這老頭子這樣沒有親情倫理？孫子都二十八歲了還要生兒子！還找一個年紀比我小的要我叫她為祖母？我好幾次都被你差點害死掉，你就算再生一個兒子也會被你害死！」兩人吵上了。老頭子又罵：「誰害死你啦？我把精銳主力都給你了，自己無能還敢怪罪祖父！將來我的兒子，還有我的新孫子，一定會比你強！」袁毓真瞪大眼又罵：「狗屁！老頭子你還能活幾年啊？玩一個比我年輕的美女，不怕提早死嗎？」兩人繼續一來一往地吵著。

這對奇怪的祖孫對話，讓跟著袁毓真回來的七名女子傻眼，談玉琰也紅著臉說不出話。其實老頭子把她當作孫女照顧，希望她也能繼承人工智能的技術，執行挽救人類的理想，並沒有騷擾她的行為，但是卻把話說成這樣，一時也不知道該怎麼解釋。

蔣婕妤早知道這一對怪祖孫關係『特殊』，跟袁毓真在一起的這段時間，也聽他說過老頭子，外似怪人內實善良，身為法士，而較能掌握型態機辨的她，比在場其他女子敢開口說話，站在兩人中間勸阻：「兩位！兩位！能冷靜一下嗎？」兩人同時哼了一聲，安靜下來。

蔣婕妤對老頭子接著說：「老爺爺我們沒有怪你啦！這次行動算是成功囉！只是在紅二號上，聽我家人通訊告訴我說，龍族又有大批部隊轉移到地球，敵人數量實在太多啦。」

老頭子咳嗽了一下，低聲地說：「這消息我也知道，這樣代表這次行動沒有成功。」

蔣婕妤說：「不是的，我們已經知道龍族的宇宙航行技術是怎麼回事，還炸掉了台灣島上的龍族宇陣器，不能說完全沒有收獲喔！」老頭子瞪大眼說：「唷！那妳們快點把事情告訴我。」袁毓真從胸襟內袋拿出夢蘿的中央處理器，交給老頭子說：「我們會告訴你一切經過，這是夢蘿的中央處理器，你先把她復活再說吧。」老頭子拿回處理器，冷冷說：「這我會處理。」轉而對蔣婕妤等女孩們說：「妳們休息一下，相信妳們家人一定想念妳們了，之後的行動就不用麻煩妳們冒險，我會送妳們回家去。」這是故意針對袁毓真剛才罵的話回答的。

何佩芸開口道：「除了蔣法士的家人在蒙古，沒有遭到龍族轟炸，所以被夢彤接到新河洛。其他人的親屬都聯絡不上，原有的住家也都被破壞了。」所有人都沉下了臉。

老頭子走上前，握住她的手說：「抱歉，我的機器人沒有辦好事，以後妳們暫時住在這吧！不過就在昨天，海底基地外出現龍族的自動兵器，可能已經發現我佔領了龍族廢棄的基地。這裡很快就不安全了，要到明天，我仿造龍族的太空船才能開始移動，所以今天晚上要特別警戒啦！」

袁毓真瞪大眼急問：「龍族戰艦所需技術那麼複雜，你怎麼仿造的？」老頭子答道：「你這笨孫子就是沒有我的遺傳。這整個基地的材料就可以當作太空船材料，我在這還發現了牠們丟棄故障的重力加速器，經過我與機器人們努力破解，終於可以仿造成功。不過這太空船體型只有一棟大廈的大小，也沒有任何火砲武力與防護罩。出海面到宇宙中，一定會被龍族擊毀，所以我只打算在海裏面跟牠們玩捉迷藏。不時地放出少量機器人，去騷擾牠們的部隊。」兩人剛才吵架，馬上又緩和下來開始話匣子，頗讓眾女子納悶他們的性格。

同時間，往新河洛的豪華專車上。

趙仰德在車上大罵曾有能：「我在海南島躲這幾個月好好的，以爲你能給我帶來什麼保護資產，躲避戰火的方法！竟然害我去接這個燙手山芋！十年好朋友了還幹這種事情！已故的行宰大人在天之靈也會發怒！」

曾有能沒有回罵，只苦笑，用不軟不硬地語氣回答道：「你已經是大名人了還說這種話，請問你哪隻眼睛看到我害你了？又是誰讓你這麼出名的？你既然不能自己轉移資產，就來幫我這一回，接了行宰的職權，我們重新思考資產該怎麼轉移。」

趙仰德餘慍未消，仍罵道：「已故的行宰已經死啦！誰像你這麼冷血陷害朋友。自己不敢接這職位，硬頂著我上！你就算再多交幾個朋友，也都會被你害死！」曾有能繼續苦笑道：「誰害死你了？我會盡全力幫助你就是，你別自己害怕硬說我怕死。我是認爲我們合作一定能轉變這局面，兩人合作一定比你一個人強！」趙仰德知他小人，聽了此話更火，大罵說：「狗屁！你曾先生有多少能力幫我？搞一個比我造『夢與』還要陰險的手段，不怕提早害死自己嗎？」兩人繼續一邊罵一苦笑辯解。

元首大人的通訊電話，讓兩人在車上停止吵鬧，一陣寒暄過後，馬上給了一道命令：「接任行宰儀式之後，兩人就一同前往戰區，慰問受傷官兵。」使得剛吵架的兩個人，逐漸緩和下來，開始商量該怎麼應付眼前的危機。

楊恒萱第三蠶變真的可以成功擊退龍族嗎？賀嘉珍獨自在台灣的命運如何？老頭子的游擊戰術真的可以奏效嗎？趙仰德與曾有能又將怎樣應付危機？欲知後事如何，且待下象分解。

第二十象　審判功臣戰前法庭顯權威
勇略震主四方歸心楊恒萱

第一幕　入援首都

話說老頭子改造的太空船終於可以移動，躲開了龍族的偵測，但認爲太空中都是龍族的宇宙戰艦，偵測能力比人類所有衛星技術都強得多，所以不敢飛到空中，最多浮到沿海城市，放下機器人幫助軍民抵抗龍族。

太空船裝載了老頭子、袁毓真、蔣婕妤、姜麗媛、黃敏慧、歐陽玉珍、何佩芸、李韻怡、廖香宜等九人，與被俘虜的影易特務組成員，還有大批老頭子製造的機器人。一棟大廈的大小，除了眾人的生活空間、機器人的擺放處，還要騰出工廠來製造機器人。所以每個人的房間都很小。

老頭子的太空船

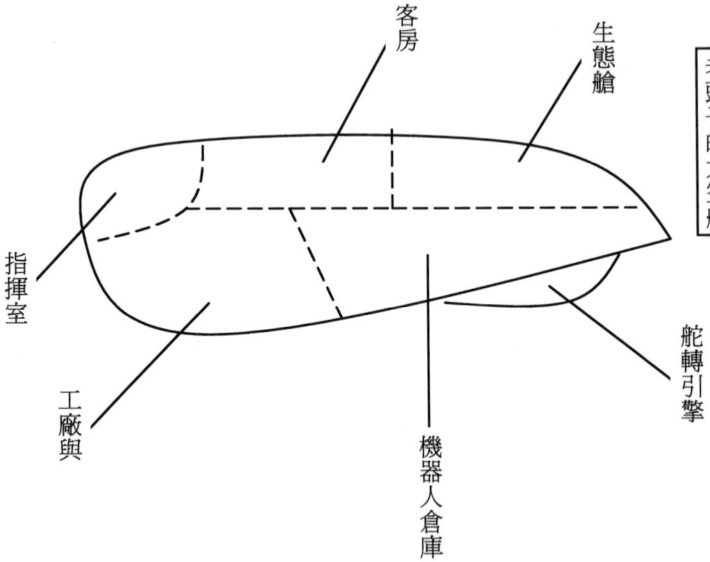
客房
生態艙
指揮室
工廠與
機器人倉庫
舵轉引擎

此時老頭子在控制室，切入了國家軍用頻道，說首都外圍幾座城市都已經遭到龍族兵器的毀滅，軍民傷亡慘重，預計不用多久，首都將會淪陷。蔣婕妤聽了，衝到控制室，哭著請老頭子幫忙救她的家人。

老頭子摸著她的頭說：「放心小孫女，這件事情朕一定幫忙到底，華夏文明國也屬於一個中國，所以新河洛我會拼死保住的。」於是把談玉琰與袁毓真叫過來，要他們帶著機器人去新河洛找蔣婕妤的家人。

談玉琰溫和地說：「我會盡力幫忙的，不過希望皇帝陛下，能放走十二影肖的組長與所有成員，不要用什麼洗腦。」她這段時間，已經知道老頭子喜歡吃軟不吃硬，老頭子聽了皇帝陛下四字，非常地開心，所以要求很快地笑著答應下來，說：「哈哈！之前說洗腦是嚇嚇你們的。好好好，我立刻全部釋放。不過條件是妳任務完成之後，還要回來我這裡幫我的忙。我這裡正缺人手。」

談玉琰微笑著說：「我在特勤廠工作其實也很不開心，以後皇帝陛下您就是我的主子了。」老頭子聽了更是樂不可支，也不管她到底真情還是假意，都是滿口答應。

蔣婕妤說：「這次是救我的家人，我也得跟著去！」老頭子搖頭說：「妳腦袋聰明，得留下來幫我製造機器人。放心吧，經過上次，妳家人已經認識夢彤了，帶著妳的影音留言，就可以帶他們來。讓機器人去就可以。」

袁毓真苦著臉，指著談玉琰說：「恭喜皇爺爺！有了得力幹部！拜託別找我們，因爲你的指示，我們兩次差點喪命，派你的機器人去幫她即可！」老頭子板起兇臉說：「這回可是要救國救民啊！除了救蔣小妹的家人，你還要負責擊退首都附近的龍族部隊！於公於私，你都不可以拒絕！而且我只派你還有談玉琰去，其他女孩就在太空船上休息，直到找到她們的家人，送她們回家爲止。」

袁毓真仍然愁眉苦臉，大聲：「唉喲！」了一聲，繼續說：「夢彤、夢蘿，還有克莉絲蒂娜，能力也很強啦！而且我又不會打仗！命也只有一條！你怎麼很討厭我跟你住在一起啊？」老頭子答道：「因爲我要求的曾孫遲遲沒有消息，別多說了！再拒絕我就把你轟出門去！永遠不能回來！」

這又讓他想起以前不能進家門的故事。只好長嘆一口氣說：「好吧……我去就是。我只能等到你『駕崩』之後，我才有真正的自由，到時候你的遺產都得歸我。」老頭子冷冷一笑說：「朕的江山由誰來繼承，朕自有分寸，你做好你皇孫的責任就好。」

四月十日晚。太空船到了岸上，放出了大批飛行機器人與紅二號，而後沉入海底躲走。紅二號很快停到了安全的地面，克莉絲蒂娜與夢彤，把反綁的曲縱橫與其他影肖成員，全部押解出飛碟外，逐一把反綁的手銬解除，然後回紅二號飛離去，帶領著飛行機器人往首都新河洛奔去。

紅二號上，袁毓真還是愁眉苦臉，談玉琰雖與他很陌生，但畢竟是老頭子的孫子，說話都很溫和。打破沉默問：「聽說你這段時間，經歷過很多奇特的冒險故事，可以告訴我嗎？」

談玉琰雖然貌美如花，也讓袁毓真很動心，但仍無法轉愁爲樂，嘆口氣說：「別提了，妳假設有命回去，問蔣婕妤、姜麗媛或歐陽玉珍，她們三人有全程參加我的驚險。現在我實在沒心情。」談玉琰微笑了一下，接口說：「我算是幫你爺爺辦事的員工，不必這麼見外。」袁毓真強顏笑了一下問：「那麼他很快就會要求妳嫁給我，幫我生小孩，妳信不信？」

談玉琰反應竟不似一般女子，呵呵一笑說：「老人家總是喜歡小孩，我父母晚年才生我一個女兒。他們也急躁得要我趕快找對象，好像只要是男人就可以配得上我一樣。我卻很後悔沒聽他們的話，跑去參加特勤廠的訓練。」袁毓真問：「那你父母呢？」談玉琰收拾笑容低聲說：「我參加十二影肖沒有半年，他們就車禍死亡。」袁毓真低頭對她說：「抱歉我不該這麼問。」

飛碟與數百架飛行機器人，躲開戰區低飛，說著談著，已經接近新河洛。此時國家的空中武力爲了保存實力，不敢隨意出戰，所以眾人只要躲開龍族飛行器即可。

紅二號發聲道：「空域上方三公里處，有大隊增援的龍族飛行器降落，是否派機器人迎戰？」袁毓真說：「這些機器人都是臨時加裝高速飛行功能的，並不適合空戰，全部緊急迫降到首都！」

袁毓真紫色漢式素衣長褲，手持通訊電腦，談玉琰白色女漢裝，髮飾雙髻垂髻，外套粉紅色防彈裝甲衣，雙手各持一支快速連發手槍，背上還有一根短火箭筒，腰際都是彈藥。夢彤與克莉絲蒂娜原衣裝，左手持衝鋒槍跟隨，四人與眾機器人在新河洛降落。首先尋找蔣婕好家人安置處。

第二幕　護城激戰

眾人降落下來，已經是十一日早晨，紅二號自行飛走，掩藏於隱密處，首都的建築物雖然都還沒有損壞，高樓大廈、瓊樓玉宇、橢圓尖錐前衛設計，佛塔斜簷傳統建築，全部都保持原貌，但是卻沒有發現人群車輛，如同死城一般安靜。

眾人走在路上，袁毓真問：「人呢？全部都上去哪了？」克莉絲蒂娜回答說：「昨天社群網路告知，首都所在附近，黃河南北的居民，全部轉移到地下避難中心。目前除了軍隊之外就沒有其他人了。」袁毓真說：「那怎麼辦？我們怎麼找蔣婕好的家人？」夢彤說：「太多戰鬥機器人下去找不方便，這件事情交給我吧。我大腦裡的資料庫，有首都地下住宅的地圖，而且我還有『明星的臉蛋』，相信請人幫忙應該比較容易。」袁毓真哈哈笑道：「哈！趙仰德那隻色豬，總算還有點貢獻。」克莉絲蒂娜說：「在飛碟上的時候從無線網路得到消息，說原來的行宰大人座機遇襲去世，現在是趙仰德接任行宰一職。」袁毓真瞪大眼，歪著嘴道：「他當行宰大人？我看中國完蛋啦！」於是夢彤與主隊分開，轉而進入地下鐵路系統，尋人去了。

說著說著，城市的一片沉靜忽然被打破，出現一片警報聲響，只見遠處數枚防空飛彈紛紛升空，上空則是大批的龍族兵器從天而降。防空飛彈四散爆裂，同時也搭配著強電磁四射，雖然擊落了一些龍族兵器，但對於龐大的機群來說只是九牛一毛。空中龍族機群四散猛攻，爆炸巨響震撼整座城市，頓時發現遠處開始大火四散。

袁毓真在考秀士期間，曾經居住過這一段時間，這裡的豪華建築群兼具傳統與前衛，包含過去、現在與未來。而眼前逐漸被戰火摧毀，內心頗是憤怒與激動，他此時才知老頭子爲何還要他來冒險，這是保衛國都的最後機會了。氣著大喊道：「立刻出動機器人迎戰！」克莉絲蒂娜說：「毓真大哥先別衝動，機器人都擅長陸地作戰，空中的事情讓軍方防空飛彈解決，我們先躲入地下，等它們降落掃蕩之後，突然跳起攻擊。」袁毓真才冷靜了下來，思考雙方力量的懸殊，點頭同意。遂躲入一間百貨公司的地下室，裡頭也蕩無人煙，都已經進入地下避難中心去了，但這裡的貨物也都不見，不知道是被偷還是被搶，亦或是百貨老闆轉移到其他地方，總之空空蕩蕩。眾人挨過了龍族兵器猛烈空襲，如同天煞激降，神光火燄，怒濤四散。而後『嘰吱』聲四起，這必然是龍族陸上兵器降落，準備深入地下殺戮人類而來。袁毓真再也忍不住了，透過通訊器喊道：「所有機器人，攻擊開始！」

地下室的機器人推開阻擋出路的碎裂雜物，先是一百架『驃騎將軍』型號的機器人衝出來與掃蕩的龍族兵器混戰，而後又是一百架鐵人型機器人衝出支援。

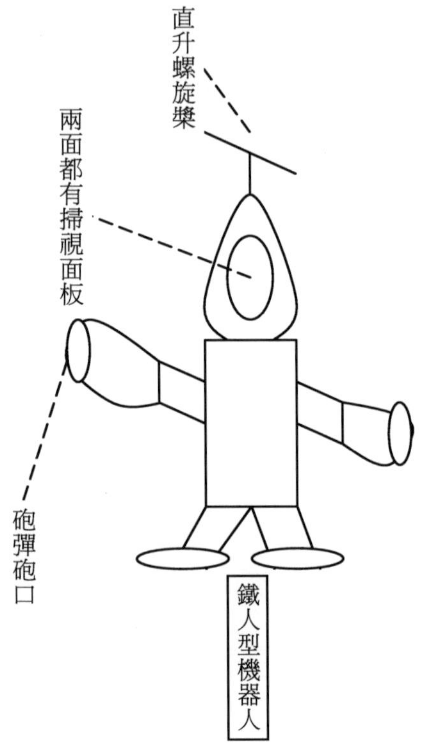

克莉絲蒂娜中央處理器得到戰況消息，告訴袁毓真說：「戰鬥機器人發現龍族兵器越來越多，這一定是因我們的抵抗引來的，必須要撤走改採游擊戰，不然的話這裡會被發現。」袁毓真於是通過通訊電腦，組織戰鬥游移保護網，通知所有的機器人。五百多架機器人護衛著三人邊打邊走，計劃往郊區的紫頂研究所前進，躲入研究所地下等待夢彤的消息。

機器人雖多，防衛卻也無法滴水不漏，克莉絲蒂娜與談玉琰，交叉火力，一輕一重，一近一遠地保護袁毓真，袁毓真則邊跑邊組織周圍機器人的戰術指令。總算到了郊區的紫頂研究所附近，就在紫頂研究所前面人工湖附近，又遇到大量的龍族兵器，雙方火力交錯，展開大混戰。終於勉強將龍族兵器消滅掉，機器人已經不到五十架。而此時遠處的怪頭飛艦又再放出自動兵器，同時也見到漂亮的紫頂研究所，瞬間被怪頭飛艦的艦砲轟毀，火光灰煙四散，已經成了廢墟。袁毓真見到美麗的建築物被毀，氣急敗壞地說：「不！畜牲！所有機器人快上，幹掉那些可惡的龍族怪頭艦！」

機器人排列成方陣狀，集束方式地向怪頭飛艦開火，終於將之擊毀，產生劇烈地爆炸。但是已經釋放出來的龍族兵器也往這開火猛攻，袁毓真所屬的機器人一台一台毀壞，將要被消滅殆盡。克莉絲蒂娜一邊用離子砲射擊，一邊用衝鋒槍開火，一邊大喊道：「你們兩人快往原路退走！由我來殿後！」袁毓真大喊：「那妳怎麼辦啊？」答道：「我是機器人！不怕死亡！只要處理器還在，我就會復活，你們的命只有一條，快走吧！」

談玉琰彈藥也用盡，遂丟棄連發手槍，抽出背後的火箭筒，快速左右開砲，把攔路的兩台龍族兵器炸掉，拉著袁毓真往原路逃回，並通知紅二號，提前在郊區集合地待命。

龍族戰艦『剔哈蚵蚵』。

審判庭五條龍，同時收到首都戰局的畫面，卡卡驚叫道：「第一股人類域固力量在這出現。竟然造成龍族傷亡！」嚕嚕說：「可見這股域固力已經可以『走位』。但是不能隨意用太陽兵器攻擊他們，不然會傷害到人類之外的物種。」塔塔說：「這股力量竟然造成運輸飛艦被炸毀，我的同孵卵室兄弟陣亡啦！」咕咕說：「兩股域固力都能走位，尤其這股力量在小島之戰時，造成『柯衣湯湯』墜落，陣亡八百多名我族同胞。今天竟然發展到這種型態力，又造成傷亡。實在不可以小覷，必須重新調整進攻步伐！」達達又『乎珠』一聲，五條龍同時喊道：「這戰區的所有部隊暫時撤退，先把這人類國家周圍的生存系統全部消滅，再來進攻這裡！」

此時龍族兵器已經逐漸撤走，軍方的部隊也正在做抵抗，見敵兵器逐漸退走，遂從地下掩蔽體，群起跳出來追擊。袁毓真與談玉琰因爲戰局混亂，竟然走失方向，跑到了元首大人府邸附近，遇到大批的官兵。

一名軍官道：「站住，你們兩個是哪一個單位的？」袁毓真不敢答話，轉臉看談玉琰，她看了這名軍官的位階，嚴肅地回答說：「我是特勤廠的幹員，官階如同五等校尉，你只是區隊長的位階，看到我應該先向我敬禮。」軍官問：「妳的證件呢？」

袁毓真急了，怕她沒有帶證件，走上前指著他說：「我們的樣子看上去像是龍族兵器嗎？剛才我轟掉一台怪頭戰艦的時候，怎麼就沒有見到你？」軍官說：「很抱歉這是戰區規定，往來一定要看證件，所以在這先向兩位長官抱歉啦！」袁毓真氣著說：「打戰一團混亂，我沒有帶！」談玉琰走上前拿出證件給軍官，緩緩地說：「我的證件有帶，你看我的證件吧。至於這位則是我的上司。」十二影肖身分屬於機密，這證件樣式怪異，軍官自然是看不懂，不過上面確實有照片與特勤廠單位的標識。軍官於是歸還證件，拱手示禮，讓兩人離開。

此時，前方開來一台裝甲車停在兩人旁邊，一個人全副防彈武裝，還包著頭盔走出來，這車輛有標示著『慰問軍車』，走出來的必然是中央高官。所有官兵拱手示禮，袁毓真與談玉琰也同時行禮，然後要走離。但是等全罩式頭盔拿下來，袁毓真才嚇一跳，這人竟然就是曾有能，是來慰問戰區官兵的。因爲他把全身防衛得滴水不漏，甚至還用氧氣罩來呼吸，如同太空衣一樣，所以剛開始袁毓真根本認不出是他，不然就加快腳步先逃了。如此碰得措手不及，不知如何說話。

曾有能對著官兵大喊道：「他就是通緝犯袁毓真！你們快把他抓起來！」官兵們持槍炮立刻包圍過來，同聲大喊：「放下武器！不許動！」談玉琰遂往地上丟下火箭筒。袁毓真苦著臉，咬牙切齒道：「曾有能你這個小人！剛才我跟龍族交戰的時候怎麼沒見到你？現在倒跳出來顯威風啦！」

曾有能笑著說：「在戰場上鬼鬼祟祟，一定做偷雞摸狗的事情，你才是那個小人！」轉臉對官兵們說：「他是元首大人通緝的欽犯，立刻帶走！」眾官兵遂連同談玉琰一同，將兩人押解離開。

第三幕　世紀大審判

袁毓真與談玉琰被帶回元首府邸地下室，分開關押。府邸地下室有十幾層，聯通首都附近的一切地下系統，包括地下鐵路與百姓的地下避難中心。但就光憑此處，即可以藏身數萬人生活兩年，是保護中央高官及其家眷的地下碉堡，即使是龍族的超級武器，小太陽集束光砲，也無法打穿。

來了一個又一個審判官，還有許多名律師，詢問兩人一切事情的經過，做好筆錄交給元首大人。這些審判官與律師都穿著軍裝，代表兩人將要用軍法審判。

四月十三日，兩人同時被押解到地下審判庭，出席了不少高官與名流觀審，元首大人透過視訊監控螢幕，觀看一切審判經過。審判官不外乎指控袁毓真三項罪名：第一，琉球之戰逃兵不報。第二，串連祖父袁續居叛國自立，並勾結龍族。第三，網路散發不實消息，汙辱國家元首，褻瀆政府威信。指控談玉琰兩項罪名：第一，任務失敗不報。第二，叛國降敵。

袁毓真氣得大罵：「什麼逃兵？我是秀士不是軍人！而且我的機器人擊落了一艘大型的龍族宇宙戰艦，這是全人類跟龍族開戰都沒辦到的！我們又哪裡勾結龍族啦？我明明是跟龍族開戰，保護國家的首都啊！至於第三項根本就是胡扯！」

審判官用槌用力敲桌，大聲喝叱他安靜！然後傳喚證人曾有能。

曾有能在證人席上，供出與袁毓真出使龍族時，袁毓真藉故不回的經過，並且強烈質疑他祖父怎麼會有這些機器人技術。然後拿出他隨身電腦，當作物證，隨身電腦投射出袁毓真等人與邦邦之間的對話。

袁毓真大感吃驚，自己在宇宙魚跟邦邦對話內容，怎麼會在曾有能的電腦上？袁毓真氣得大罵：「你這小人！造假證！現在的技術連夢與都可以造假，這又豈能爲證？」審判官再次大聲喝叱，兩名軍官用力把袁毓真壓在審判桌上。審判官說：「袁毓真！你再吵鬧，我就要依審判條例第八條，大鬧法庭來從重量刑囉！」這樣下去討不到便宜，袁毓真只好屈服。

審判官問：「證人曾有能部長，你怎麼會有這個對話內容？」

曾有能說：「這是嫌犯在擔任真理部副部長，與我一起出使之時，我在他腕錶型隨身電腦裡，加裝的微電腦監聽軟體，會啓動自動錄音。只要他回到地球，就會把錄音內容，透過無線網路系統傳回到我這裡。這錄音內容是不是僞造，可以讓專家來鑑定！」袁毓真氣得發瘋，原來自己太粗心，沒有在自己隨身電腦裡面加裝防毒軟體，所以被如此暗算。另外一方面也實在惱怒他的小人步數。

於是來了幾個專家，拿出儀器，經鑑定，確爲真實的對話內容。

審判官才讓軍官放鬆手，袁毓真才緩緩挺身坐起。法官追問道：「被告方對罪名第二項還有辯駁的嗎？」袁毓真看著身邊一言不發的律師，大喊說：「我把事實都告訴律師你了，你快點幫我解釋啊！」律師竟然對審判官說：「關於控訴罪名第二項，辯護方沒有話說了。」

袁毓真對著律師大喊：「什麼！你這條狗！」審判官用力敲槌，喝叱道：「被告屢次口出惡言，藐視法庭，本席將從重論罪！」

接著依照戰爭時聘用文職人員條例，判定袁毓真至少在琉球之戰受委託時，身分是暫時的軍籍人員，戰後逃亡不報罪名成立，辯護律師當然還是無話可說。

然後又調出網路證據，證明袁毓真主導『網路素人自拍』琉球之戰戰功的事實，所以二項罪名全部成立。至於談玉琰，律師指出她在海底基地，奮力抵抗老頭子的機器人，被擒後，以投降來交換其他同伴的生命，經過律師連絡特勤廠，十二影肖的其他人員確實都還活著。代表這並不是真心投降，所以被指控的兩項罪名不成立。可見談玉琰自己已經洗刷乾淨了，不打算與袁毓真同舟共濟。

審判官經過兩天審理，四月十五日在庭上宣布：「被告談玉琰罪名不成立，當庭釋放。被告袁毓真三項罪名成立，外加口出惡言，藐視法庭。本席以『反人類罪』，將被告判處死刑，當即執行。」

袁毓真撇開那位，始終不幫忙辯護的辯護律師，直接對審判官大喊說：「我要提出國家根本法第五條！這次法庭審判結果完全沒有『國本法』的基礎！還有第七條，我要全民觀審！」倘若他沒有這麼說，所有觀審的人員也都遺忘了這一條。這一條是一百多年前，開疆拓土的已故前元首大人訂下的，就是有考上四士職務的知識份子，無論在任何情況下，也不論犯什麼法，絕對不能夠判死刑，最多只能終身監禁。而袁毓真具有秀士資格。且知識份子被控告，可以要求全民網路審判，全民網路評論結果若對被告有利，則必須被法官斟酌參考。

此語一出，陪審席的觀審人員一陣騷亂，審判官也急著翻閱各法律，是否有避開『國本法』的特殊情況與規定。最後敲槌定案說：「關於被告袁毓真提出兩項國本法要求，本席裁定第七條要求駁回，因爲處於戰爭時期，處於不可抗力的狀況下，不方便執行。至於第五條的要求，本席受理！暫且將被告羈押，將於這兩日與法界人士討論後，重新宣判結果。」一時又是一陣譁然。

曾有能對著法官提出異議，大喊：「嫌犯意圖拖延時間，讓未到案的同謀營救。法官大人不可以接受這要求！」法官看著曾有能搖頭，暗示不能這麼做，必須要顧慮到『國本法』的規定。看了曾有能欲將自己置於死地而後快，袁毓真怒火中燒。

一絲希望雖然到來，但是就算不死，也可能無期徒刑，而自己的通訊電腦已經被沒收，只能期待克莉絲蒂娜，或夢彤知道這項消息，而能來營救自己。袁毓真看著談玉琰，企圖用臉部表情，暗示她通知機器人，但是談玉琰臉都沒看他一眼就走了。

他一急之下，拿出這幾天關押時思考的最後方案，急中生智對著陪審員們大喊：「你們看啊！國家的秀士被審判啊！百年來難得一起啊！這是大新聞，可以跟龍族進攻比美啦！」人都是生活在『八卦謠言』之中的，所以意圖將消息讓眾人的口傳出去，引救兵過來。曾有能當然知道他的意圖，露出了一絲奸險的眼神與微笑。

四月十七日，審判官重新判決：將袁毓真改判無期徒刑，終身不得假釋。且要關押在重刑囚犯的監獄內，倘若表現頑劣，將可以加重到死刑！

第四幕　囚犯的吶喊

地下監獄內，只有一支馬桶，一洗浴台，一張床，一張被，完全沒有其他東西。而監獄外的衛兵，已經改由新生產的機械獵犬防護，聯網附近的警備部隊，可見真的是怕他有同謀劫獄。他猜自己被關押在這種地方，一定是曾有能暗中操作的結果，恨得想把這小人碎屍萬段。但轉而思考，要不是元首大人心胸狹窄，也不會如此被關，最可惡的還是元首大人。

所幸因爲龍族戰爭，百姓逃亡都來不及，原本的重刑囚犯，自然是不會被帶入地下社區。所有囚犯就趁獄卒都逃難去，也紛紛逃出監獄外，不經審判即獲得自由。所以袁毓真是現在唯一的重刑犯，遭受到最嚴格的監控。

四月十九日。

又過了兩天，心思已經亂到極點，苦等救兵都沒有來。心思：（會不會夢彤與克莉絲蒂娜都被摧毀了？老頭子又知道這項消息嗎？他還有祖孫之情嗎？）

想到漢朝的周亞夫，宋朝的岳飛，明末的袁崇煥，下場一個比一個慘，不禁含著淚唱起了滿江紅：「怒髮衝冠憑欄處，瀟瀟雨歇，抬望眼，仰天長嘯壯懷激烈，三十功名塵與土，八千里路雲和月。莫等閒白了少年頭空悲切　靖康恥，猶未雪，臣子恨，何時滅？駕長車踏破賀蘭山缺，壯志飢餐胡虜肉，笑談渴飲匈奴血，待重頭收拾舊山河，朝天闕。」唱到這，袁毓真忽然氣得大罵說：「誰要幫那個爛元首收拾舊山河？去死吧！我才不當這種人！這都是權力階級可憐的走卒！」轉思：（這也不是只有中國，西方乃至於全人類都有這種狀況，甚至有過中國而無不及，法國的聖女貞德，最後也被主子拋棄，甚至還被自己同胞，因爲小錢而出賣，慘遭玷污，最後燒死。那種冤屈可比岳飛慘得多了！更有耶穌者，被當作神來推崇，後世能沾其一絲神蹟，即自認爲可上天堂，但是對當時可以親眼見他的第十三門徒來說，還不如將他出賣掉，換一點蠅頭小利好。）又思：（哼！我寧願當洪承疇、吳三桂，也不當袁崇煥，這才是真正的血性男兒。況且宋朝的金人與明末的滿清，現在還不都已經入了中國？古今中外的歷史，都是如此可笑，人類這物種，還真是諷刺！我何不替龍族辦事呢？）

又進而思：（莊子有云：「竊國者侯，竊鉤者誅！」而能偷竊心靈者，則爲神。真正的大叛徒大惡棍，反而榮華富貴，滿腔熱血去觸碰權力慣性的人，就會死得很難看。）同時想到以前那個軍官李光旭跟他說過，軍方是『苦幹實幹軍法審判，大混小混一帆風順。』表面功夫才是要緊。自己拼了命打龍族，結果真的被元首大人軍法審判了。他若沒被龍族進攻打死，相信現在正躲在暗處，把他這秀士被抓，當作笑話呢。

轉而對著牢門外，開口大罵：「龍族什麼時候打來啊？乾脆讓人類全部滅絕算啦！要死大家一起死吧！一群小人！畜牲！」真是滿腹冤屈變成滿腔憤怒，忠肝義膽變成包藏禍心。但是門外只有機械獵犬在活動，時間到才有人會過來送飯與飲水，此時怎麼罵都不會有回應。忽然又想到法官最後判決說：『倘若表現頑劣，將可以加重到死刑！』只好又緊急收回憤怒，改以淚洗面。

他必須做出最壞打算：倘若夢彤與克莉絲蒂娜都毀了。倘若賀嘉珍在台灣出意外，或是根本不在乎袁毓真，或是求情無用。倘若老頭子不在乎這個孫子，或無能爲力，那麼自己將要永遠被關到死，或被關到龍族打來，被人拋棄而遭龍族兵器殺掉，或無水無食在這地下監獄等死爲止。

想到此，袁毓真攤在地上哭著說：「機器人快點來啊……老頭子快點來啊，我是你的唯一單傳啊……賀嘉珍妳也幫我跟那個爛元首求情也好……邦邦你來救我啊，我願意跟李韻怡、廖香宜一樣，當你忠實的奴隸，我願意做任何事情……哇……我不要被關死在這……」彷彿是被同伴出賣的盜墓賊，遺棄在古墓裡出不去，哭得呼天搶地，仍然是叫天天不應，叫地地不靈。

他終於含著眼淚，對著牆壁跪下了，兩手握成禱告狀，對著本心相信的宇宙造物主，輕聲地說：「我不知道真正的造物主祢在哪裡？我也不知道該用什麼形式表達，但是我祈求次易原理上面說的『原母』，真心祈求祢，給我一次機會，讓我能離開監獄，重獲自由。」

說到此，兩眼淚水奪眶而出，不過表情神色仍然嚴肅，不敢對內心真正相信的『原母』失態。但是話語已經泣不成聲，勉強一字一句清楚地說：「我願意把餘生都貢獻出來，完成祢的交辦的使命……」然後『嗚』地一聲哭了出來，哀泣地說：「是的，祢神聖的旨意我要完成……祈求給我一次機會……我不敢再懷疑祢的意志，甚至祢要人類滅亡，我也會堅定地完成祢的旨意……祈求祢讓我重獲自由……嗚……」

再說到此，已經全然失態，臉不成形，語不成聲，雙手一攤倒在地上，哭著說：「求求祢原母，給我一次機會……嗚啊……」嚎啕大哭起來。

第五幕　勇略震主

正當袁毓真入援首都時，楊恒萱的蠶變第三步驟正在加緊執行，但是技術上面還需要克服。沒有其他科學家幫助，沒有足夠的資材，儀器也是拼湊的。唯一可以憑藉的，只有初級人工智能協助。

回到四月十四日。

楊恒萱坐在地下兵工廠控制室內，雖然早在製造第一台機械獵犬之前，就已經鋪設好三階段的變化路徑，但實際要製造出來，仍頗費功夫。

「完成了！執行量產程式！」他眼袋紅腫，面容憔悴，已經兩天沒睡覺。激動地走出房門，要吳升象執行量產指示，說罷躺在床上昏去。

龍族對首都新河洛，雖暫時退兵，但是周圍的城市一個個化為廢墟，大批龍族兵器掃蕩殘存的人，甚至鄉村都無法躲避災難。首都如同鐵桶一般被戰略包圍，元首大人不斷命令各地部隊入援，但是各地指揮官都知道，人類部隊的武器與戰術方式，跟強大的龍族自動兵器對陣，根本就是以卵擊石，全部都走走停停，觀望不前。在軍法的威逼下，只做小規模突擊戰鬥，在出現部分傷亡後，就以傷亡過重為由而撤退。所以龍族兵器再一次進攻首都市區。

四月二十日。

就在首都再一次被進攻時，忽然出現大批的機械獵犬，從河流、空中、陸地、土裡竄出。如同上海區的戰鬥一般，但是在混戰中，這些機械獵犬竟然會相互組合，每四個一組便形成裝甲更強，火力更大的戰鬥機器人，楊恒萱乘坐一台機械獵犬嚴密保護的懸浮車，來到紫頂研究所外，看到研究所相關建築都已經成為灰燼，也讓他頗為憤怒。忽然一聲巨響，有數台機械獵犬被擊毀，龍族大批兵器再次進攻，機械獵犬自動迎戰。雙方從郊區一路混戰到首都市區，守軍見狀雀躍歡呼，配合機械獵犬奮起迎擊，戰況空前激烈。最終逼得龍族再一次退兵，全國振奮，網路訊息很快就報導「中行士楊恒萱發明新武器，大破龍族部隊」。

元首大人與新任的行宰趙仰德，在府邸親自接見楊恒萱，並設宴款待。與袁毓真的待遇有天壤之別。

元首大人讓他坐在身旁，在宴會上對他說：「這次保護住國家的首都，楊中行士有大功，我打算讓你擔任總中行士一職，負責規劃首都的防務與戰略行動的設計。」

楊恒萱心知這是明升暗降，一但接任這職務，青島區的機械獵犬製造權就得交出去，那麼自己只是徒有虛榮的參謀人員而已。婉言說：「現在龍族戰爭還正激烈，當以大局為重，我比較希望能繼續做人工智能的研發，如此大任恐不合適。」

元首大人笑著說：「我知道你使命感很重，之前你不就搶著身兼兩職嗎？這樣吧，原有的工作你繼續，同時兼總中行士一職，我會加派科學人員與軍方單位歸你調遣，共同抵抗龍族的進攻。國家正是用人之際，希望你萬莫推辭。」

不方便架空，就改派遣人監視，以免他尾大不掉，看到眾官僚眼睛都盯著這，楊恒萱不能讓元首大人失掉面子，遂點頭說：「恭敬不如從命了，但我有一個小小的要求，希望元首大人萬莫推辭。」「說出來，別客氣。」

楊恒萱遂謹慎地說：「我聽聞袁毓真被捕，而且判處無期徒刑。我代他求個情，希望元首大人把他放出來協助我。」

不只元首大人，所有官員聽了也都色變，他面色轉而嚴峻道：「楊中行士求情不是不可以，不過我能問你，爲何要替他求情嗎？」楊恒萱點頭示禮說：「我與他並沒有很多交集，不過他祖父對於人工智能技術，在我之上。這一次擊退龍族純屬僥倖，倘若這技術不跟著變化，那麼下一次的龍族進攻，實在很難保證能獲勝。」

元首大人聽了沉吟半晌，而後緩緩地說：「我對你很有信心，你也就別期待袁毓真他們了。我曾派賀嘉珍去跟他祖父談判過，他不答應也就罷了，還敢把我的專使都抓起來。甚至自立爲王，公然違反國家體制。除非他祖父把全部技術轉交國家，不然要我背棄國法赦免袁毓真，似乎有些困難。」這一回換楊恒萱抬著頭「喔」了一聲，遂放棄求情。

楊恒萱心思：（人類的力量根本不可能跟龍族對抗，這次也純粹只是運用次易原理，『變易』爲本質的思想，轉變一些事態來求得喘息。而個人的演變能力有限，倘若沒有持續演變，還維持一定的慣性，這種技術就根本不能跟龍族對抗，到時候你能去跟龍族談『國家體制』

嗎？這種領導人只能給明眼人笑話。古語有云：『勇略震主者身危，功蓋天下者不賞』。這種權力慣性還在堅持，再有能力的人也無法幫你了。）

元首大人心思：（曾有能說得沒錯，這些有能力的人，忠誠都有問題。一個不受教的袁毓真壓下去，又來一個全民之曉而心懷異心的楊恒萱。趕快把他們的技術拿到，這些人或除掉，或疏遠，以免尾大不掉。）

袁毓真被囚，他的禱告有用嗎？機器人夢彤與克莉絲蒂娜，兩人命運如何？元首大人與楊恒萱貌合神離，這種結合還能抵抗龍族嗎？談玉琰真的棄袁毓真於不顧了嗎？欲知後事如何，且待下回分解。

第二十一象　地下混戰機械明星救生靈
間接救援穿牆劫囚奪生機

第一幕　地下避難中心

時間回到四月十一日，夢彤剛離開袁毓真，進入地下鐵路系統，搜尋蔣婕妤親屬時。夢彤看到了避難中心的地圖指示，中央處理系統，立刻做出立體分布規劃，判斷地鐵進入地下避難中心，可能所在之處。規劃好後，地圖顯示在兩眼視覺的組成視窗中。

於是計劃先入避難住宅群一一搜查，跳下地鐵等候站，沿著鐵路往前走，地鐵懸浮列車已經停駛，但兩側還有備用電燈供應微弱燈光，忽然前面出現兩台龍族怪蛇兵器，似乎也在搜尋避難中心的入口。夢彤左手的衝鋒槍立刻開火，兩怪蛇也翻身啓動光砲迎戰。夢彤左避右閃動作迅速，畢竟是搶了先手，所以快速地將兩怪蛇的砲口射毀，衝過去近身猛射，將怪蛇兵器打爛。然後更換彈匣，轉身踢開鐵門，進入避難中心的通道。通道一片黑暗，夢彤啓動夜視功能前進，連續踢開好幾道鐵門。

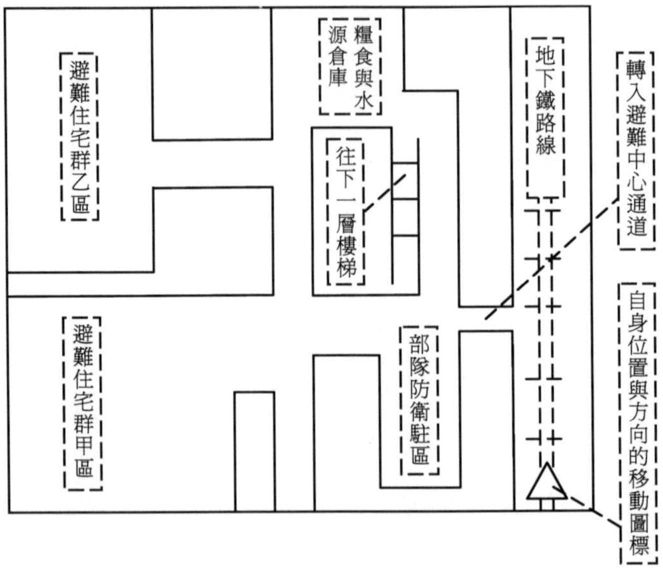

顯示在夢彤眼睛視窗一角的地圖指示【地下一層】

剛一走過避難中心通道，左側就是部隊防區，有大批官兵在前方設立檢查哨，對著她打出探照燈光，並有大量的槍砲隨之瞄準過來。一名軍官大聲喊道：「避難時間已過，妳是誰？快把武器放下！」夢彤中央處理器無聲指示：（不可以與人類發生衝突。）處理器另外一個運算單位，就迅速規劃突發狀況的反應。

夢彤將槍枝丟棄，一隻手假裝阻擋在眼睛，用小女生受欺負時的表情，嬌柔地說：「我是女明星夢彤，找不到自己的避難場所。」軍官立刻指示關閉強探照燈，改用柔和的通道備用燈光，派一名士兵走過來仔細端倪，驚喜地回頭對眾人說：「真的是夢彤也！大家快來看！」

眾官兵收回槍砲一擁而來，你一言我一語地問話：「妳規劃在哪一個避難住宅呢？」「妳的雙生妹妹夢蘿呢？」「妳怎麼會出現在這？」等等一連串問題。本來夢彤的中央處理器可以迅速一一回答，但是又轉而指示：（必須假裝自己是人類，做出最接近人類的反應。）

夢彤流出人造眼淚，假裝悲傷地說：「我跟妹妹失散了，想要去避難中心找她。這把槍是我從街上撿到，拿來防身的。」

軍官喝令在場所有士兵安靜，眾人沉靜下來，然後笑著臉對她說：「我是主管地下防衛的校尉官，張啓明。需要我幫什麼忙儘管說。」夢彤收拾眼淚，溫柔地回答說：「我希望你們讓我過去，我自己去找妹妹就可以了。」

張啓明當然不能拒絕，但又捨不得『大家都從未親眼見過的美麗女大明星』，趕緊說：「讓我們保護妳吧！這裡其實也不是絕對安全。」夢彤微笑了一下，緩緩地說：「這不用了，你們還有任務在身喔。」張啓明還想找些事說話，看著她丟棄的槍說：「除了我們軍人，這裡面誰都不可以帶武器喔。」夢彤微笑著答道：「好吧，那把槍就送給你吧。」

張啓明頓時出現笑容，開心地揀起槍枝，趕緊再道：「可以用漆筆在這把槍上簽名嗎？還有可以跟我們合拍一段現場實錄嗎？我們弟兄都很喜歡聽妳的歌也！」夢彤點點頭，露出甜美的笑容說：「好的，都可以，我替你們短短獻唱一首，但是不要超過十分鐘喔！我還要去找我妹妹呢。」眾人於是趕緊分工動作，拿出漆筆、拿出掌上攝影機、拿出要簽名的書或卡片。夢彤啓動『仿本尊』的程式，一一寫字、簽名、握手，最後身邊跟著所有官兵，面對桌上的攝影機，合拍一部短短的『演唱記錄』。

她唱道：「安逸邦，腐貪吏，上國破敗，強敵侵伐。仰望聖賢來濟事，有待英雄救徬徨。看那戰火迫紅顏，何處有情郎？戰士奮起捍國本，朱顏寄心芳。」真是韓娥之齊，餘音繞樑，發出的歌聲，猶勝舞台上投影的假夢彤。眾官兵擠在她身邊，深怕自己在攝影機上，留不到與她的合影動畫。唱完之後，還不斷地一一握手獻吻。都已然忘記，夢彤是怎麼踢開鐵門的。

總算應付結束，離開了這裡，到了顯示地圖中的避難住宅甲區，走道上出現一間一間的套房，但除了套房內的廁所之外，都沒有門遮攔。夢彤得以在走道上邊走邊掃瞄，一一檢視所有人的臉孔，核對先前在蒙古見過的蔣婕妤親屬照片。這裡的人似乎都受到龍族驚嚇，不是哭鬧，就是躺著療傷，還有不少醫療人員來回走動，官員安撫人群，不像部隊官兵那樣，會注意女大明星的臉孔。這一區走完，換避難住宅群乙區，仍然沒有找到。只好開始一一詢問難民，有一個女孩說，下一層的避難中心，有收留來自北方各區域的難民。夢彤遂轉身離開，通過糧食與水源倉庫，要往樓下走去時，聽到守護倉庫官兵，用特殊無線電通話說：「什麼？龍族兵器侵入第一層入口。好的我們馬上增援！」

而後整個避難中心響起警報，眾人一團騷亂，卻不知道該往哪裡遁逃，紛紛往下一層奔來。夢彤的記憶庫，馬上調出當才守衛門口官兵的景象，但是並不打算因爲他們而耽誤任務，於是往下一層走去。但是後面許多難民奪路而來，不分男女老幼，相互推擠踐踏，樓梯上滾滿了倒地的人，夢彤推開不少慌張的人，拉起許多差點被踩死的小孩。但仍被如潮水而擁來的難民，推入第二層。

第二幕　老鼠戰爭

人們慌慌張張往地圖中的臨時避難廣場逃去，夢彤判斷，第二層的所有難民必然也往該處擠，於是也隨著眾人往該處去，以利於找尋目標。

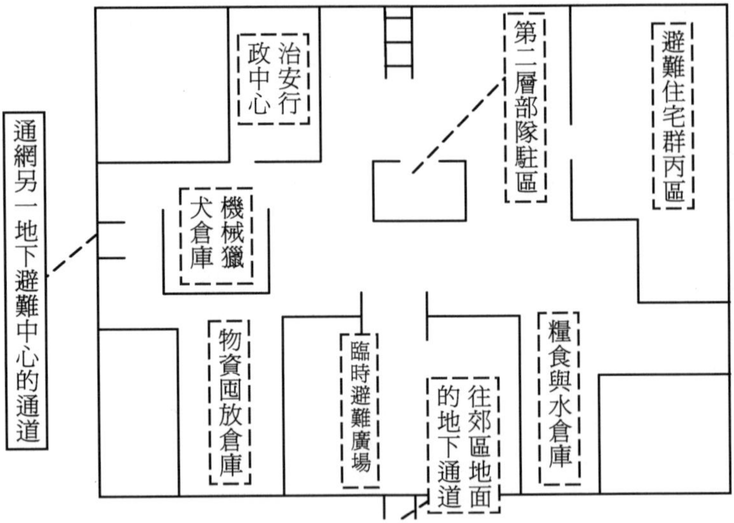

顯示在夢形眼睛視窗一角的地圖指示【地下二層】

這一層的官兵動員了機械獵犬，防守通往另外一區避難中心的通道，該區域似乎失守，所有軍民慘遭龍族兵器殺盡。機械獵犬與龍族兵器，在通道中激烈混戰，難民往避難廣場湧入，管理的官員用擴音器不斷地喊：「各位別慌亂！部隊阻擋了龍族兵器，請按照秩序依序進入廣場。」此時秩序才稍微恢復，不過夢彤仍然被擠在眾人當中。

廣場外的人想往裡面擠，結果廣場裡面的人卻想要往衝，只聽聞裡面的人大喊：「有龍族兵器！快逃啊！」如此，廣場門口混亂成一團，鼓譟難平，官員們維持不住秩序。

忽然一聲巨響，大批的人倒下，人群頓時變成一堆黑煙四散，被光砲打中的人，瞬時化爲灰煙而不具形體，被小菱形彈打中的人，立刻炸裂倒地，鮮血狂噴。廣場內竄出幾台怪蛇兵器與圓頓怪物，前者發射光砲，後者發射小菱形彈，菱形彈發射也是光芒弋射。死亡光芒在廣場內竄舞，如同人類屠宰場殺豬一般悽慘，現在換成另外一種物種殺人類。

夢彤中央處理器判斷，人群中有可能有目標，必須要救護這些人。於是右手轉制成離子砲座，在倒地的人群中跳出來，採取跳躍戰術動作，開火反擊，一砲炸一台，兩台怪蛇兵器頓時四分五裂。圓盾怪菱形彈密集地射向夢彤，夢彤胸前中了幾彈，被炸入屍體堆中，修復系統立即啓動，彌補裝甲外損傷的肌膚與血肉，但是女漢式衣物已經破損。夢彤邊爬起邊反擊，兩台圓頓怪物竟然縮回圓鐵球，離子砲只造成圓盾的表皮受損，很快又張開兩盾，開火反擊。這的確是很強的近身戰兵器。

她快速翻滾跳躍，躲開敵方瞄準具的射殺，翻滾了二十多步之遙，轉身突發一離子砲，把開火中的圓盾擊毀。但是另一隻怪物的菱彈瞬間又打過來，腹部中彈爆破，飛撞到牆壁上，跌落在地上後倒地。夢彤眼中視覺顯示器顯示：（腹部液化體破損，啓動修復裝置。電源減少百分之三十，電池一具受損。）液化體內微小的機器血球，迅速修復受損的地方。

龍族的兵器似乎能察覺出，夢彤並沒有真正損毀，還朝這繼續開火。夢彤翻滾到一桌旁，用力抛出桌子擋住菱形彈，桌子立刻炸爲碎片。旦夢彤也贏得了一秒鐘的時間，跳到半空中快速發射離子砲，打中圓盾怪中心最脆弱的機能，將之摧毀。夢彤女漢服衣襟處，因爲戰鬥破了大洞，但是肌膚又已經修復好，看上去像是衣衫不整的女子，但是機器人不以爲意。

這只是先頭的偵測部隊，必然把通道位置通訊了主力，除非通道垮塌，不然就算堆放阻礙物，也阻擋不住龍族兵器進入。夢彤拉出體內一橢圓電池，已經損毀，抛棄後，再拿出另外一枚氫燃料電池，通一定電壓訊息，啓動爆破程式，而後丟入通道遠處，轟地一聲把通道炸垮。胸內只剩下一枚電池而已。轉身往後走，避難廣場內盡是灰煙與死屍，男女老幼皆有。夢彤走出廣場大門，外頭也堆滿了屍體，還有人群被追殺，機械獵犬與殘存的官兵，正與竄入的龍族兵器追逐廝殺，如同兩群老鼠在地洞中相互肉搏。原來第一層官兵已經失守，判斷張啓明等人可能陣亡。

夢彤的離子砲威力雖大，但是需要停歇三秒鐘才能發射第二發，而且損耗電源很兇。於是撿起陣亡官兵的重機槍，與連串機槍彈。不過邊走邊打，不戀棧於戰鬥，而往治安行政中心奔去。闖入中心當中的主控制室，官員都已逃走一空，她左手食指變制成端子，連接這裡的電腦網路系統，下載這裡避難難民的名單，查到蔣婕妤的父母親與一個妹妹，確實都在這一層避難。核對地圖與動態現況，計算出這三人最有可能又跑回避難住宅丙區。

夢彤持槍往該區走，沿途見到驚慌亂竄的人，已經沒有人在乎她有明星般的臉蛋。但是夢彤的視覺掃瞄，卻不放過任何一個平常人的臉蛋，見到牆角一旁，有一個小女生背著背包，蹲在地上哭泣，分析體型臉蛋，核心中央處理器指示：（臉蛋體型對比符合，十五歲女子蔣媛妤，立刻上前詢問。）

夢彤問：「小妹妹妳是蔣媛妤嗎？」女孩哭著抬頭，她認識夢彤，除了網路社群上見過她演出，也是她之前從外蒙古省庫倫，用紅二號飛碟，把她與父母帶到首都避難的。蔣媛妤痛哭失聲，緊緊上前抱住了夢彤。不過蔣媛妤抱住了她，哭著說：「我爸媽都死了……」夢彤問：「屍體在哪裡？」蔣媛妤答道：「龍族怪物一陣光把他們打成灰燼了……」說罷又緊抱著她痛苦。夢彤說：「妹妹不要怕，我保護妳去見妳的姐姐蔣婕妤。」蔣媛妤痛哭說：「我不要，假設我們還在外蒙古就不會發生這些事。」夢彤搖頭說：「網路資訊已經有說，外蒙古庫倫區全城遭龍族毀滅，當初離開那邊才是對的。這次就像上次一樣，妳姐姐委託我救妳走，妳好好跟緊我，我帶妳去見她吧！」蔣媛妤哭著點頭，緩緩說：「夢彤姐姐妳衣服破了，我有一件比較大的衣服給你穿，妳一定要帶我見到我姐姐喔！」夢彤微笑著答：「謝謝，我用生命保證，一定帶妳見到妳姐姐。」她拿出背包中的衣物，給她換上。

更換衣物後，遂左手牽著她，右手持重機槍，往上一層出口殺回去。衝到上一層，也是灰煙與零碎不全的屍體，蔣媛妤聞到惡氣，當場作嘔。夢彤安撫著她的背說：「妹妹忍著點，緊跟著我不要離開，衝出去之後就沒事了。」蔣媛妤含著淚，紅著臉點頭，現在也只剩下夢彤可以依靠。這一層仍然有龍族兵器射擊的聲音，與人們四處奔逃慘叫之聲，於是不敢久待，跨開屍體，緊跟其後，往地鐵道衝去，經過部隊駐防區時，只見滿地碎裂屍體與少數龍族兵器的碎零件，張啓明等人確實已經力戰身亡。夢彤抱拳用軍禮，致上最高敬意後，繼續再往前行，發現地鐵兩方相互交火，原來是軍隊帶著機械獵犬，從地鐵另外一邊來增援，而地鐵原途之中都是龍族兵器。兩女子暫時躲在通道黑暗處，不敢出去。戰國時代名將趙奢說過：「狹路相逢，如二鼠鬥之於穴中，將勇者得勝。」龍族兵器沿著鐵路往前衝殺猛射，機械獵犬損傷殆盡，軍隊也開始退卻了。昏暗少燈的地鐵通道，竟然閃光陣陣如同太陽照掠，廝殺喊叫、機械碰撞、與爆聲四散。蔣媛妤雙手遮抵耳朵，兩眼緊閉，縮在夢彤的懷裏，好像她胸口才是安全之處。

待龍族兵器大隊衝過去，最後一台欲往避難中心進來，夢彤趕緊拉開蔣媛妤，持重機槍猛射。將之擊毀之後，拉著蔣媛妤往龍族兵器來處，地鐵黑暗那一端奔逃。若是人類感官必然無法看到兩女子的存在，但是龍族兵器感應敏銳，最後數台衝過去的龍族兵器，回頭就開火，蔣媛妤蹲在一旁，躲避爆炸，尖叫不已。夢彤以身護之，並回頭用重機槍猛烈射擊，同時大喊：「別停留！快逃！」蔣媛妤聽到她大喊，但聽不清楚她喊什麼，但是可以猜出這是要自己往前逃。她拔腿就跑，夢彤緊跟在後並不時回頭射擊追兵。兵器發射失去準頭的光砲，炸得火光四起，似乎也成了兩女子的照明與掩護。

逃上了地鐵站，夢彤背起了蔣媛妤就往地面跑，總算逃離了危險的地穴。躲到了一斷垣殘壁當中，夢彤丟棄了重機槍，左手中指便制成天線，與紅二號及袁毓真聯絡。但是袁毓真此時衝到了紫頂研究所，通訊受干擾而暫時失聯，只有紅二號上有先前李韻怡改裝的龍族通訊器，在干擾中收到任務完成的訊號，準備來此接應。

蔣媛妤見此，才驚訝地問：「夢彤姐姐，妳的手？」夢彤說：「我不是真正的女明星夢彤，只是妳姐姐朋友的機器人。」蔣媛妤喘口氣說：「我真笨，一直以為我姐姐當官好厲害，可以指揮女明星來救我呢。」夢彤笑著說：「夢彤夢蘿，也只是影音科技塑造的明星，實際上也沒有這個人。所以製造我的人，才藉此把我製造出來，這妳以後問妳姐姐就知道囉。」

第三幕　機器人的思維判斷

兩女子躲到了夜晚，龍族兵器因為發現域固兵力，開始漸次撤退，以組織新一輪的進攻，紅二號才得以出現，將二人接上碟內。

紅二號告訴夢彤說：「克莉絲蒂娜回報，在戰鬥中與袁毓真、談玉琰兩人失散。她現在正躲在紫頂研究所後面的山林中。」夢彤問：「龍族兵器為何會撤退？」紅二號答道：「還佔有優勢兵力卻突然撤退，原因無法判斷。」夢彤說：「那麼我們快去接應克莉絲蒂娜，一起尋找毓真大哥，不然陛下會生氣，把我們都拆毀掉。」

紅二號說：「真搞不懂那個叫做老頭子的人類，怕自己孫子受傷害，卻拼命要他去冒險。人類真是矛盾生物。」夢彤說：「人類的心理我也不是全理解，不過既然給我與克莉絲蒂娜，誓死保護袁毓真的指示，我們就會拼命去完成。」紅二號說：「雖然妳是人類製造的，不過還是機器人思想比較容易理解。」於是飛碟飛往該處隱藏，並把全身都受損的克莉絲蒂娜也救出來，只見她大多肌膚無法自動修復，露出傷痕累累的鋼鐵，甚至還缺了一條腿。

蔣媛妤看了受損的機器人，想起父母死亡，哭著問：「現在是不是去找我姐姐嗎？」夢彤停頓了一會兒，搖搖頭說：「現在妳已經安全，龍族也已經擊退。必須要找到袁毓真才能撤退，撤退到基地，自然就可以見到妳姐姐。」蔣媛妤哭著說：「可我現在就想要見姐姐啦！」

夢彤摸了她的頭說：「放心，妳一定會見到的。但是袁毓真是我們主人的孫子，我們的程式是一定要保護他。等我把克莉絲蒂娜修理好再說吧。」蔣媛妤清秀的臉蛋滿臉淚水，抱著夢彤痛哭起來。紅二號說：「妳別傷心，我已經連通到海底移動太空船，妳過兩分鐘就可以跟姐姐說話。」蔣媛妤立刻走到指揮塔，等待紅二號給通訊指示。夢彤微笑了一下，把克莉絲蒂娜帶到飛碟的後方倉庫，拿出備份的機器人零件，開始修復克莉絲蒂娜損傷的系統。

通訊中，蔣婕妤與蔣媛妤都痛哭失聲，過了兩天才平復。

四月二十日早晨。修理好克莉絲蒂娜後，兩機器人走到前座，看著吃飽喝足睡在沙發上的蔣媛好，紅二號系統告知：「談玉琰發送文字訊息，說她前幾天與袁毓真被國家的軍方抓住，送交了審判。她個人被判無罪釋放，直到現在才拿到可以通訊紅二號的通訊器。而袁毓真被判無期徒刑，關押的地方不明。要求我們快點展開援救行動。」

夢彤與克莉絲蒂娜都頓了一下，這是中央處理器，面臨思維突兀狀況的重新啓動。這樣才能判斷，意外且需要深思的突發狀況，與戰鬥中的意外狀況截然不同。夢彤接著說：「現在她在哪裡？」紅二號說：「回到特勤廠的地下總部，這是她發訊的最後地址告知，說之後還會通訊我們，現在已經關閉了老頭子給的通訊器材。」克莉絲蒂娜說：「這訊息有沒有可能是，她與特勤廠串好的陷阱？」

夢彤說：「我判斷不是，倘若這是陷阱，那麼她就會詳細告知袁毓真被關押的地點，好讓我們掉入陷阱。現在說關押地點不明，那就代表她是真的想要告訴我們這件事，由我們自己去找袁毓真。我建議展開援救的計畫。」克莉絲蒂娜歪了頭問：「我與妳是同一個等級的中央處理器，怎麼妳會跟我判斷不同？」夢彤微笑著說：「因爲我們遭遇不同，處理器當中的『自定義』學習空間，逐漸建立不同的思維方法。先前妳主要在趙仰德那邊潛伏，而後參與保護袁毓真。我則是經歷了『九宮幻方』等等。」

克莉絲蒂問：「妳的經歷過程，我也有下載觀察，怎麼會有所不同？」夢彤說：「雖然我們可以相互傳遞遭遇景象，但是皇帝陛下將這種學習模式，做出思維分層切割。顯現出親自遭遇，與下載學習之間的不同，所以我還是不會學妳做愛，而妳對於深刻地解析機關結構，跟我還是有一段差距。這似乎是皇帝陛下，故意要我們演變成不同性格的設計。」

克莉絲蒂娜說：「那麼夢蘿的系統，一定會更加地成熟。」夢彤笑了笑說：「妳能發問與類推，代表也在學習，但現在趕快想辦法把袁毓真救出來吧，不然以後我們就會被皇帝陛下淘汰了。」兩機器人把紅二號儲存的，人類審判同類與關押同類的資料庫，都下載來分析，並配合現有的首都總體地下地圖來猜測。而後兩機器人離開紅二號，分頭潛回首都，蔣媛好則由紅二號照料，繼續躲在無人的山林中。

第四幕　八點原則、一制兩求與三個誠信代表

話分兩頭，克莉絲蒂娜因爲先前曝光，所以先搜索各郊區沒有被毀壞的監獄。夢彤則去尋找談玉琰，商量該怎麼救人。

經過徹底修復過後，克莉絲蒂娜換上全身西式藍套裝衣褲，開著從懸浮車製造廠竊來的車，到了首都郊區最大的監獄。梳緊金黃頭髮，擺動著迷人的身軀，進入監獄搜索片刻，才發現監獄中不論獄卒還是囚犯，都因戰爭逃走一空，於是一腳踢開監獄控制室的門板，左手變制成端子，進入電腦查詢。

此地與外界的網路通訊雖已斷絕，仍然可以快速搜索囚犯檔案，裡面囚犯的資料沒有袁

毓真，克莉絲蒂娜拉長食指變制成的端子，另外幾隻手指合一，變制成天線，替這裡面的電腦連通無線網路系統。經過數分鐘，終於連接上中央政府的核心伺服器，利用本地電腦的帳號與發訊位置，要求搜尋囚犯袁毓真的關押地點。

對端伺服器要求密碼，她的處理器，高速運算本地電腦記錄，卻沒有得到密碼，只好執行駭客方程式，直接破解中央伺服器的密碼要求。

經過一翻程式的迂迴處理，總算進入了資料庫，查詢到最近審判記錄。也搜尋到袁毓真的審判檔案，關押地點顯示「高度機密」四字。但是負責處理人犯的單位顯示是：「軍戒執法局」，上面有執法局的地址。該地址在新河洛的東方衛星市鎮，該市鎮目前已經被龍族部隊摧毀，所以不太可能把人犯解到該處關押。而首都新河洛的地下行政中心，有軍戒執法局的位置。經過計算，此單位極有可能因爲戰爭，而轉移到地下行政中心。

克莉絲蒂娜把搜尋的這些資料與運算結果，予以保存，收回端子與天線，離開這空盪的監獄。才走出監獄的大門，發現大批的龍族飛行器，從郊外往這裡飛來，克莉絲蒂娜趕緊加快腳步登上懸浮車，快速飛上空曠的車道，往首都新河洛駛去。夕陽餘暉，晚風吹盪，郊區田野，杳無人煙，她開車奔馳中，回頭向天看，後方龍族飛行器分成好幾隊回頭，似乎正在跟另外一些飛行部隊交火。趁此，她更快地加速離去，進入到新河洛東區一處地下行政中心入口，但是門口有軍隊與數十台機械獵犬把守。

她走下車，搖著優美的走路體態，頗有亂世佳人的氣韻，走上前去。眾官兵見到一個盤緊髮飾，俏麗時髦，藍眼金髮的西方女人走來，都頗驚訝。一名軍官對她喊道：「站住，這裡是『地下行政中心』，是政府官員才可以出入，平民走『地下避難中心』那一邊。」

克莉絲蒂娜撫媚著神情，大膽地解開衣服上的兩個鈕釦，推開軍官的雙手，摸著他的胸口，用洋腔調的中文說：「我的老公是新任的行宰大人，趙仰德。不知道官夫人可不可以進入。」見到此情景，旁邊的官兵都目瞪口呆，軍官則喘著氣說：「可以可以，不過我得查看一下名單，請問妳的名字是？」克莉絲蒂娜微笑著說：「我是美國人，所以沒有中文名字，你找趙仰德的相關名單群就可以了。」軍官趕緊查看腕型隨身電腦，但是眼睛還是不時地偷瞄她的雙峰處。

查閱後軍官搖頭說：「很抱歉喔，電腦顯示行宰大人的親屬照片群集，沒有一個西方女子啊！」克莉絲蒂娜指著自己比東方女人還要大得多的雙胸，緩緩地說：「我跟他是屬於這種關係的，而不是名分上的那一種，你當然在電腦找不到。」所有官兵眼睛都隨著她的手指方向，緊盯著她的雙峰，軍官吞一口口水後問：「請問妳有官方給的通行證嗎？」她搖頭說：「我沒有通行證，但是我堅持要進去，不知道你可不可以通融一下？」

軍官退後兩步，笑著搖搖頭說：「這恐怕不行，放一個不相干的人進去，我會被上頭法辦的。」克莉絲蒂娜緊貼上前去，手伸入軍官漢式服裝的衣襟內，用一點洋腔口音的中文說：「這就奇怪了，官員們可以到百姓的避難中心，表演慰問難民的政治秀，爲何平民百姓就不可以進入這裡？你的地下避難室在哪個位置，可以告訴我嗎？」軍官開心地回答說：「在第五避難中心的部隊防區，妳會來找我嗎？」克莉絲蒂娜伸出手，用食指點了一下他的鼻尖說：「你假設讓我進去，然後說出你的名字，我就會去找你。而且我一定會保密不讓別人知道是你放行的。」官不怕大就怕『管』，只造管得到，什麼都能通，軍官急著點頭說：「好好好，我叫做李光宗，我哥哥是海軍軍官，目前在這避難，叫做李光旭，假設我不在第五避難中心就代表在這執勤，你可以讓我哥哥招待妳一下。」克莉絲蒂娜點點頭說：「你們兄弟的名字都很好聽，我記住了，那就謝謝啦。」於是就順利進入。自然是刪除這段訊息，不可能去找他們。

地下行政中心三步一崗五步一哨，與平民的避難中心相比，豪華寬敞許多，不過這裡的官員家眷來來往往，大家防備的也是龍族自動兵器，所以對克莉絲蒂娜也很大膽地四處走動，似乎忘記她是被通緝過的機器人。

她來到軍戒執法局的轉移區，裡面辦公室頗豪華，還有傳統屏風與燈飾，問門口的警衛說：「我來找軍戒執法局局長。」警衛看了這漂亮的洋妞，也頗爲驚嘆，但是大官就在裡面，不好放肆，遂嚴肅地說：「請問妳是誰，有什麼事嗎？」

克莉絲蒂娜說：「我是他的新任女秘書，今天第一次面試，我需要見他一面。」警衛說：「妳等等，我要回報一下。」於是退後跟辦公室內通電話，忽然轉頭說：「局長沒有應徵什麼女秘書，妳走吧。」克莉絲蒂娜右手抓住警衛，通電一下把他電昏，而後逕自走入。裡頭的公務職員都盯著她看，但是無人阻攔。

她轉而用兇惡地神情，看著一女職員問：「局長在哪一間辦公室？」女子被她嚇了一跳說：「請問有什麼事嗎？」克莉絲蒂娜一拳把她旁邊的辦公桌搥出一個洞，好幾個女職員都嚇得尖叫逃奔，她抓著眼前女職員肩膀問：「告訴我，局長在哪裡？」女子指著電梯間方向，嚇得閉上眼說：「他就在局長室……再往下一層，出電梯門左邊第一間。」克莉絲蒂娜遂捨棄眼前這些人，按下電鈕走入電梯。下了一層後，往左局長室外，有兩個彪形大漢，是局長的警衛。警衛正要走來盤問，被她一一電昏，兩個粗壯男子瞬間倒地。

發現門需要通行卡，與指紋，於是對倒在地上的警衛搜身，搜出卡片並扛起了他，一手拿起卡一手拉起他的拇指，把門打開後，將之全丟回地上。

走入辦公室，房間頗多裝飾品，全木製豪華桌椅，還有一特殊的洗浴間，一個中老年男子，戴著黑框大眼鏡，有著啤酒肚，方面大耳，前額上略有禿頭，髮型直疏於後，坐在辦公桌通視訊電話，螢幕上是曾有能的影像。兩人正在通訊中，邊說邊笑，這中老年男子笑起來，眼睛瞇成一直線，嘴巴咧開時還顯得頗爲拘謹。

曾有能透過螢幕看到她進門，嚇了一跳，大喊：「小心！她是機器人！」。這中老年男子則頗感突兀，克莉絲蒂娜走上前去一拳把通訊器砸爛，曾有能的影像瞬間消失。然後一手抓起這中年男子的衣襟問：「你就是軍戒執法局局長，姜擇明？」姜擇明被她的大力氣嚇到，急忙點頭說：「是的，請問小姐您有什麼事嗎？」克莉絲蒂娜問：「先前被判刑的秀士袁毓真被關在哪裡？帶我去找他。」姜擇明搖頭笑了笑說：「別這麼大火氣，能不能放下我，我們好好談談，我想兩人談判中我有八點原則……」

克莉絲蒂娜不想聽什麼姜八點，用力把他扔回座位上，「啪」一聲，賞他一個大耳光，把他黑框大眼鏡打飛了，然後又抓起他道：「你這個豬頭爛官僚！我沒有很多時間談你的姜什麼八點，你以爲這是在忽悠政治手段嗎？快帶我去找他！否則我就不客氣了！」姜擇明被打得眼冒金星，喘口氣說：「這不歸我管，我不知道啊！」克莉絲蒂娜把他扔回滑輪辦公椅，用力一腳踢椅子，辦公椅碰撞到牆壁反彈，害他差點摔到地上，然後右手變制成離子砲座，對準姜擇明說：「你有八點原則，來忽悠我，我有一發火砲，可以轟你下台。假設沒誠意辦好事，那麼我就不需要你了。」說罷擺頭看了他桌上的電腦系統與被砸毀的通訊器，姜擇明才想到，她是之前元首大人通緝的女機器人，趕緊大喊道：「等一下，這位洋女士，我說！我說他在哪！袁毓真被關在地下行政中心的軍營預備區，我電腦裡面有地圖可以看。」

克莉絲蒂娜左手變制成端子，微笑著說：「這一點不用你說，我也會做。」於是切入他的電腦，兩個藍眼睛瞳孔放大，嘴巴「嗶」了一長聲，把關押地點都下載過來。姜擇明見狀，害怕克莉絲蒂娜知道地點後，將他殺人滅口，趕緊說：「這位洋女士，妳應該知道了吧。我想我直接通知下屬，拘提他到這裡見妳，妳想帶走就帶走，放心，一切都會配合妳的。總之不要動武，和平方式解決。」然後轉而伸出食指與中指，示意說：「一種制度兩種訴求，我會配合妳的要求。」克莉絲蒂娜收回左右手的變制體，回歸正常人的雙手，微笑著半眯眼說：「可惜我分析你的瞳孔放大，還有說話的聲頻變化，推測你有百分之九十的說謊機率。所以我不想要你的一制兩求，還是一動兩制，我會自己去找他，現在你只要閉嘴安靜就可以了。」

姜擇明嚇了一大跳，怕她說這話是要殺人，趕緊舉出三隻手指頭說道：「等等，我是很誠信的，妳可以繼續在網上查，我有『三個誠信代表』……」。克莉絲蒂娜對他說的什麼三個代表，到底有什麼內涵沒興趣。於是拉開抽屜，發現有膠布，於是把他嘴巴貼了好幾層，先貼了一字，再附加交叉十字，最後再一字，再把他全身也連綁帶貼，捆在椅子上，推到廁所裡面去，最後把他的黑框大眼鏡戴回去，對他微笑了一下才，將之反鎖於廁所內才離開。

第五幕 劫囚戰鬥

姜擇明辦公室樓上被嚇到的女秘書，呆滯了很久，才請一個男性職員下樓去看看情況。男職員小心翼翼，看到門口開開，且躺著兩個昏倒的警衛，進入辦公室大喊：「局長在嗎？」聽到廁所內有人嗚嗚地叫而被反鎖，趕緊通知雜務組人員來開鎖，衝進去把他全身膠帶扯掉，姜擇明大喊道：「快按下警鈴，通知軍警單位，有人要去軍營預備區劫囚！」那男子遂依令行事。

克莉絲蒂娜一邊快步跑往目標區，一邊左手變制成天線，把關押地點通知夢彤。夢彤此時，已經在特勤廠外找到了談玉琰。她見到了機器人夢彤，對於老頭子的信心也就恢復，收到克莉絲蒂娜的通訊，遂答應一同前去劫囚，而後返回海底移動太空船。

可到了軍營預備區，才發現這裡有大量的機械獵犬，而且警鈴已經啓動，區內的所有人員都已經警戒，牆壁螢幕上出現克莉絲蒂娜剛才被監視器拍攝的照片，通知全營通緝這機器人。這裡其實就是機械獵犬的地下生產工廠，所以機械獵犬眾多，正是曾有能有意安排如此，來防範袁毓真黨羽劫囚的。雖然只是楊恒萱蠶變第一階段的設計，但是數量一多就頗有戰鬥力，先前克莉絲蒂娜三號機的報銷，關鍵原因也在這機械獵犬上。所以這最後一台克莉絲蒂娜，在地下錯綜複雜的道路中閃躲，時而躲入氣窗內，時而閃入無人的機房，不敢硬闖。

忽然聽到外頭有開火的聲音，通訊後才知道，夢彤與談玉琰各持特勤廠偷來的重武器，用強攻的方式劫獄。克莉絲蒂娜並不打算增援，計畫趁她們兩人吸引機械獵犬之際，衝入地圖中的可能關押區域。

她衝過了機械獵犬拼裝完成的區域，低頭閃過窗戶內工人的視線，正闖入第一個可能關押地前，忽然發現監視器已經盯住了自己，急忙跳起將之拆毀，但是拼裝區已經冒出了三台新完成的機械獵犬，似乎是怕損害到工廠的其他設備，都發射輕武器，且猛撲過來企圖肉搏戰。但是克莉絲蒂娜不管那麼多，離子砲間斷發射，轟毀一台機械獵犬與若干生產設備，裡面的工程技術人員，四散奔逃，全部都丟給機械獵犬去對付入侵者。衝到跟前的兩台機械獵犬前肢伸開強磁鐵，吸附住她的左右手，準備將之撕扯成兩半，她兩手四處揮舞，讓兩台機械獵犬碰撞牆壁與地面，巨響十數聲，所碰撞之處都有凹陷痕跡，最後把兩台獵犬擊碎，拆掉吸附的前肢，衝入第一個可能關押區。結果裡面都是工程人員的家眷，驚嚇地躲在各自的房間。

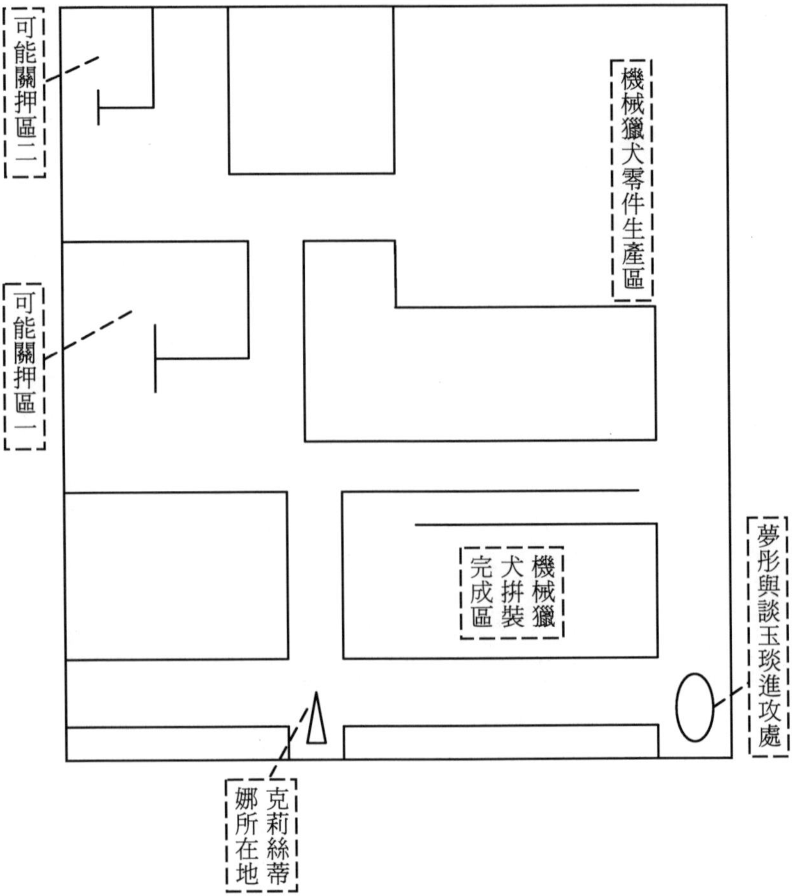
可能關押區二
機械獵犬零件生產區
可能關押區一
機械獵犬拼裝完成區
夢彤與談玉琰進攻處
克莉絲蒂娜所在地

克莉絲蒂娜踢開一間房門，拉出一名男子問：「告訴我，袁毓真關押在哪？」男子知道她是機器人，嚇得半死，趕指著方向說：「在後面的倉庫房最裡處。」克莉絲蒂娜迅速對比，從姜擇明電腦資料庫下載的地圖，標示在第二可能關押區。於是迅速離開，衝往該處，又出現兩台機械獵犬從後面追殺開火，她邊跑邊打，把這兩台機械獵犬轟掉，然後衝入牢房區。但是牢房區空無一人，都堆滿了儲存的機械零件或生活用品，只好逐漸一排一排搜索。

此時袁毓真雖聽到有砲火交錯，卻不敢發出聲音，因爲辨別不出到底是龍族兵器進攻還是來救他的，克莉絲蒂娜也不敢出聲，只好不斷用生物體掃瞄器群找蹤跡。忽然轉角衝來兩台機械獵犬，又一場肉搏厮殺，將兩台擊碎之後，已經不怕洩露位置，才喊道：「毓真大哥你在哪裡？」

袁毓真聽到此聲，如同久旱逢甘霖，地獄見菩薩，大爲欣喜，大聲喊道：「我在這裡！快來救我啊！」克莉絲蒂娜分析音頻後，衝到該處。

袁毓真喜極而泣哭著道：「克莉絲蒂娜．羅根……快打開牢門，我要出去。」克莉絲蒂娜用力扯開牢籠的鐵條，把面容憔悴，涕淚直流的袁毓真帶出來。外頭的交火之聲仍然斷斷續續，克莉絲蒂娜說：「先別高興太早，夢彤與談玉琰正在外頭開戰，這裡很快就會出現大量援兵。我現在得立刻通知她們。」說罷拉著他就快速奔跑。

談玉琰左腿中彈，仍忍著痛繼續開火反擊，夢彤替她擋住大量子彈，不斷開火反擊。兩人被困在製造器材堆放的掩體內。夢彤喊道：「蒂娜已經救到人了，現在一定要趕快撤退。」

談玉琰苦著臉說：「我走不動啦，假設抵擋不住就別管我了。」夢彤又發了一砲，轟掉撲過來的機械獵犬。拉起談玉琰說：「我們一起衝出去！不然其他部隊就要來增援了！」她在攙扶下勉強往前走。

忽然又一台要撲過來，兩人以爲無法抵擋，忽然這機械獵犬爆炸，原來克莉絲蒂娜開火擊毀的，她帶著袁毓真找到二人了。由克莉絲蒂娜帶頭打出去。

四人衝到市區的出口，已經二十日黑夜，外頭許多燈光與軍隊往來，眾人在巷弄蜿蜒前進，談玉琰雖然傷口有布條綁著，但是鮮血仍然直流，克莉絲蒂娜說：「毓真大哥，這距離紅二號很遠，首都空防也很嚴密，你背著她。我們兩人戰鬥，不然她實在跑不動了。」袁毓真點頭將一個比她還要高大的女子背著，所幸體重並不重，還能繼續往前行。談玉琰被揹負後，馬上想昏昏欲睡，夢彤不斷提醒，要她堅持不要睡著，等待紅二號上面有完備的醫療器材。

袁毓真喘著說：「別跑了，她的腿傷太嚴重，我下半身也都被血流滿了，通知紅二號冒險衝入市區救我們。」兩機器人仍在交互砲擊追殺過來的機械獵犬，夢彤說：「確實只能這樣了，你們先躲入巷弄，由我聯絡！」

紅二號收到通知快速飛過來，空防系統以爲龍族兵器，所以防空飛彈四方升空。紅二號發射迎擊飛彈，並左避右閃，蔣媛妤蹲在浴室內，在搖晃當中，雙手緊抓欄杆不敢出去。總算竄入目標區，降落在路邊，四人拼最後一擊般地衝上飛碟內，快速升空離開。

克莉絲蒂娜拿出醫療箱，幫談玉琰急救，袁毓真手握著她的手說：「我還以爲談妹妹妳不理我了，沒想到這麼拚命救我。一定要把傷治療好喔！」談玉琰恍神軟氣地說：「別感謝我，我是因爲對老頭子的技術有信心，能幫我躲避龍族。我才拚死救你的……」

克莉絲蒂娜說：「好了，毓真大哥你別跟她說話，她腿部擦中散彈砲，非常嚴重，我正在急救。」袁毓真退到沙發，嘆口氣後坐下，對著剛走來的蔣媛妤說：「小妹妹，我是妳姐姐的朋友，妳怎麼哭呢？」她坐在另外一邊的沙發，搖頭不回答。

夢彤說：「這次任務算是成功了，擊退龍族的首波進攻。不過下一次就很難說了。」袁毓真急著搖頭說：「肯定沒有下次啦！經歷了這麼多，我打死也不再冒險！」

飛碟快速飛往太平洋的海上。

這次行動有驚無險，眾人真的不會再涉險嗎？新河洛又真的不會被進攻嗎？欲知後事如何且待下象分解

第二十二象　小島大機浮形束器銜星陣　全力出陣天后強兵殊死鬥

第一幕　宇陣集束器

話說紅二號飛碟往太平洋飛去，到了一無人小島上空，降落了下來。

袁毓真從廁所洗滌衣褲血跡後，走出來問：「老頭子的船呢？我們爲何要停在這小島上？」紅二號答道：「這裡是約好的集合點，他的移動基地現在正在深海緩速駛來，以躲避龍族的偵測。所以還要一段時間。」袁毓真站起道：「那妳打開門，我想出去看一看外面的銀河星空，順便透透海風。」躺在另外一沙發上的談玉琰說：「扶我出去，我也想看看銀河。」克莉絲蒂娜與夢彤，兩人都拿著工具與零件，相互修理對方在戰鬥中損毀處，夢彤對著談玉琰說：「我們的藥雖然有效，但妳的腿傷還要多休養，少移動。」談玉琰微弱地說：「沒關係，在海灘上看銀河是我的夢想，我不能放過這機會。」蔣嫒妤則搶著說：「我也要跟著去看。」

這座小島很小，約略只有幾艘航空母艦的甲板寬，上面有些椰子樹與草叢，椰子樹是漂洋過海來此，草叢的種子是候鳥在這休息時，隨著糞便來這定居。

袁毓真與蔣嫒妤一左一右，攙扶著談玉琰到海灘上，海風微和吹拂，星光明月高映，四下除了海浪聲，就是一片安寧，實在頗似人間仙境，平放下談玉琰使之仰望星辰。袁毓真問：「老頭子有轉告一個龍族怪物，邦邦的故事嗎？」談玉琰搖頭而沒說話，顯得失血後有些無力。袁毓真遞了水壺給她喝，然後自己簡單地把邦邦的事情講了一遍，然後指著星空說：「假設我是那隻龍族怪物，我寧願去九九星球上定居，也不要在地球上。」談玉琰問：「爲何呢？」袁毓真說：「因爲人類太低等，也太多劣根性，我實在不想跟人群爲伍了。倘若沒有宇宙觀念，不會演化成真正高等生物的。」談玉琰笑了一下，小聲地說：「你剛才說那個邦邦，是走時間路線。而時間也是宇宙的一部分，所以怎麼能說時間路線沒有宇宙觀念呢？況且八百萬年後，人類肯定滅亡許久了，不會有人群打擾你。」

袁毓真聽了頗爲吃驚，以爲跟一個特務小妹說話不用什麼深度，卻被她這麼一說弄得啞口無言，只感覺她很像賀嘉珍，而美麗卻又遠過之。袁毓真不顧蔣嫒妤在旁邊，手握起談玉琰的手說：「我能夠追求妳嗎？」這突兀之語，蔣嫒妤聽了臉紅耳赤，站起來往飛碟內走去。談玉琰看她離去後，才笑了一下說：「我不是乾淨的女孩，你不介意嗎？」袁毓真呵呵一笑問：「妳怎麼不乾淨法？」談玉琰也笑著說：「特勤廠訓練時，被影肖的組長強暴，而後執行任務時，還跟某些男人有染。你敢要嘛？」袁毓真轉而抓著頭髮傻笑，緩緩說：「喔，還好啦。蔣婕妤、姜麗媛、黃敏慧、歐陽玉珍與何佩芸，應該也都不是處女。真正是處女的李韻怡與廖香宜，兩人是同性戀。雖然她們都是美麗女子，但是似乎都有某方面個性的缺點，而個性幾乎完美的賀嘉珍，長相與過去也不怎麼好。我看世界上沒有真正完美女人，所以妳還算好啦，不是完全不能接受。」

談玉琰雖然因失血氣力衰弱，卻也哈哈笑了出來，轉而溫柔地說：「你說話真的很好笑，什麼叫做也都應該不是處女？你都有問過她們嗎？能接受就接受，不能接受就不能接受，又何必繞圈子說話？」袁毓真搖頭說：「好了別笑話我啦！」竟然把她抱在懷裡，親吻她的臉頰。談玉琰本想推開他，經過特工訓練，雖然受傷，要扳倒袁毓真還是很容易的，但是卻沒拒絕，閉上眼睛坦然接受。

忽然感覺小島在震動，震壞了這世外桃源，仙境氣氛。克莉絲蒂娜與蔣媛好走出飛碟，克莉絲蒂娜說：「你們快回來！這小島底下有東西！」兩人大爲吃驚，克莉絲蒂娜與蔣媛好，幫助袁毓真將談玉琰攙扶回飛碟，而後飛碟快速起飛。

袁毓真問：「到底怎麼回事？這小島難道是火山？」

克莉絲蒂娜說：「不是，而是有人造動力。我估計這種規模與技術的運行，應該不是人類製造，有可能是龍族的東西。」

袁毓真問紅二號說：「妳的資料庫裡面有沒有相關訊息？」紅二號答道：「沒有，我只是低階的龍族智能，很多資料我並不具備。」

飛碟飛上空中，小島驟然分裂爲兩半，岩石與植物都彈飛到海中，出現約一個大廈大小的兩半弧旋轉器，懸浮於架上，開始高速旋轉，週圍海水也開始沸騰。

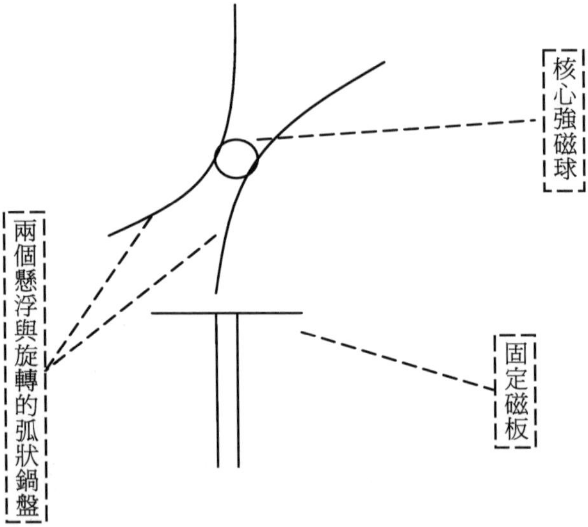

紅二號在空中將之放大到指揮塔的螢幕上，袁毓真看了頗爲吃驚。克莉絲蒂娜說：「毓真大哥，看到這東西，你有沒有聯想到之前我們在台灣島上見過的宇陣器？」袁毓真點點頭說：「是啊！我怎麼沒想到呢！難道這跟那些宇陣器有關？」克莉絲蒂娜微笑著說：「我還以爲你們人類的聯想力，比我這機器人強呢。」夢彤說：「毓真大哥能猜猜這是什麼東西嗎？」

袁毓真扶了一下眼鏡，盯著指揮塔螢幕說：「之前那些宇陣器除了發光，似乎沒有其他動靜。這東西會不會是一種宇陣器的中樞？」夢彤點頭說：「極有可能，倘若是的話，我們就要把它摧毀，以免更多龍族部隊來地球。」

袁毓真說：「這萬萬不可！」夢彤問：「爲何？」袁毓真答道：「宇陣有可能來，也有可能去。空間路線的龍族，最後目的地是九九星球，倘若我們摧毀它，破壞了牠們前往九九星球的計畫，妳認爲局面會怎麼變？況且假設這真的是這麼關鍵的東西，龍族會那麼容易讓我們擊毀它嗎？」

紅二號發聲道：「袁毓真說的沒錯，我偵測到這建築物周圍有強電磁場，分析其電磁場結構，屬於龍族的強力防護罩。這種等級的防護罩，人類的氫彈都打不穿。但因爲非常損耗能量，所以龍族除了用在很重要且等級很高的宇宙戰艦上，其他戰鬥部隊，並沒有能量使用這種等級的防護罩。而這建築物卻用了這種東西保護，代表非常重要。我們的武器不可能摧毀它。」

夢彤說：「這實在是太巧合了，那我們得更換跟母船的會合點。」袁毓真指著螢幕說：「我猜龍族已經把地球上的宇陣器都佈置好了，現在準備要前往九九星球。倘若我們再堅持抵抗一陣子，人類就可能躲過這場災難。」紅二號說：「依我認識的龍族戰鬥慣性，恐怕沒有這麼簡單。即便龍族開始移往九九星球，也一定會先把這個跳躍的中繼站清理乾淨，不然星際往來的門戶就少了一個支點。」袁毓真苦著臉道：「這也未免太霸道了吧？宇宙的星體這麼多，丟一個偏僻的地球給人類也沒差啊！」紅二號說：「星際往返中，只要偏差幾光年，那麼宇陣系統的轉置就會出問題，可能會與目標星球差距幾十萬光年，而落在銀河系外，永遠回不來。況乎地球也是龍族發源地，其生態環境可以讓龍族生存。就算龍族不要定居在這顆星球，也不准許有另外一種智能生物，不斷干擾這麼重要的航行中繼站。還有，就算龍族與人類沒有戰爭，你認爲人類對於出現在地球上的宇陣器，會假裝沒有看見，不對龍族往返做任何干擾嗎？依我這段時間對人類的了解，這是不可能的。」

袁毓真閉上眼嘆口氣道：「若真如此，人類滅亡已成定局。」

第二幕　域固結合鍵

飛碟在另外一地點與老頭子的母船會合，入了母船，老頭子拿出更好的醫療設備，治療談玉琰的腿傷，使之不留傷疤。蔣嫒妤與蔣婕妤抱著痛哭，哀悼父母去世，四名女兵也都對親屬憂心忡忡，但卻無法連絡上。兩機器人各自入廠修復並整補零件。

四月二十五日早晨。

廖香宜主動走到袁毓真房間，對他說：「兩個小時後，你祖父約所有人到太空船指揮室見面。」袁毓真點頭說好，她說罷就坐在他房間的椅子上。袁毓真正看著次易原理這本書，瞄了她一眼，點頭說：「我知道了，妳有其他事情嗎？」廖香宜神情嚴肅地說：「當然有！」袁毓真看了她的神情，傻笑地說：「不會是跟李韻怡有關係吧？」廖香宜點頭說：「就是跟她有關！」

袁毓真繼續傻笑著，也點著頭說：「她先前不是說得很清楚了嗎？同性戀孿噁心的，就像我若是跟一個男生相戀結婚，妳會有什麼看法？」廖香宜用力拍桌，生氣地說：「噁心？我倒不這麼認為。我跟她好好的，你卻來沾惹一腳。若不是你，她就不會變心！若不是你，她就不會要求離開我！」

袁毓真下巴落下三公分，聽得目瞪口呆，而後緩緩地說：「我以前沒有交往過女朋友，所以從來沒有情敵，沒想到第一個把我當情敵的人，竟然是妳這麼年輕漂亮的妹妹。」被他這麼一說，廖香宜紅了臉，但是卻更生氣說：「唉呀！我在說什麼話題，你在說什麼話題啊！我要你今天給我一個交代，不然就是你去跟李韻怡說清楚，說你根本不喜歡她！不然就是我跟她徹底攤牌！」袁毓真被這荒唐的情境，弄得很想大笑，但是強忍下來，鎮靜地問：「攤牌？怎麼個攤牌法呢？」廖香宜說：「大不了魚死網破，不是她覺醒，就是我自殺來成全你們！」

袁毓真終於忍不住哈哈大笑，氣得廖香宜臉更紅了。而後袁毓真從床上站起來，放下書本，走到她面前緩緩說：「我倒是有另外一個更好的建議，保證我們三人最後都很滿意，不知道妳願不願意聽？」廖香宜坐著仰望他問：「什麼意見？說來聽聽。」袁毓真歪邊嘴笑著說：「不如妳也愛上我，我一次娶妳們兩人。假設我不在妳們身邊的時候，妳們兩人還可以相互安慰，而不會寂寞，而我也不算戴綠帽。等我回來之後，一次擁有妳們兩人，三人同行多開心啊，這方案妳覺得如何？」廖香宜哼哼冷笑了一下，然後站起來，一耳光打過去，憤怒地走出房門。袁毓真眼鏡歪掉，臉上一片紅，扶正眼鏡之後，搖頭道：「人類白陽期末世，真的是什麼怪事情鳥事情都會發生，乾脆我也來玩爛人的遊戲好了。哼！」

來到老頭子太空船的指揮室，指揮室雖然不像宇宙魚的指揮室那麼大，中間卻也可以擺下會議桌。長方形會議桌不大，老頭子坐在對著門的位置，左邊坐著李韻怡、廖香宜、蔣媛妤、夢彤、夢蘿、克莉絲蒂娜。右邊坐著蔣婕妤、姜麗媛、黃敏慧、何佩芸、歐陽玉珍、談玉琰。袁毓真看了看大家的神情，廖香宜的神情，眉頭緊皺頗為不滿，李韻怡似乎也受了她影響，冷面不語。蔣婕妤姐妹仍然紅著眼框顯得悲傷，姜麗媛、黃敏慧也頗哀愁，似乎擔心失散的家人。歐陽玉珍與何佩芸相互低聲說話，似乎努力要遺忘家人。談玉琰換上功夫裝，臉色已經有些紅潤，傷勢在治療下快速復原了，神情有些輕鬆，面帶微笑。三台機器人也都修復完成，夢蘿的中央處理器換上了新型號的軀體，身材與相貌仿自一個漂亮的模特爾，瓜子臉蛋，白晳皮膚，眉月挺鼻，淺輪廓而配大眼，櫻桃小口，穿著寬衣大袖女漢服，頭飾髮釵華麗金光，秀髮垂肩，衣服胸襟雙峰不小於克莉絲蒂娜，頗像漢代的宮廷美女。眾人圍在這小桌上顯得有點擠。三機器人眼睛都看著袁毓真。

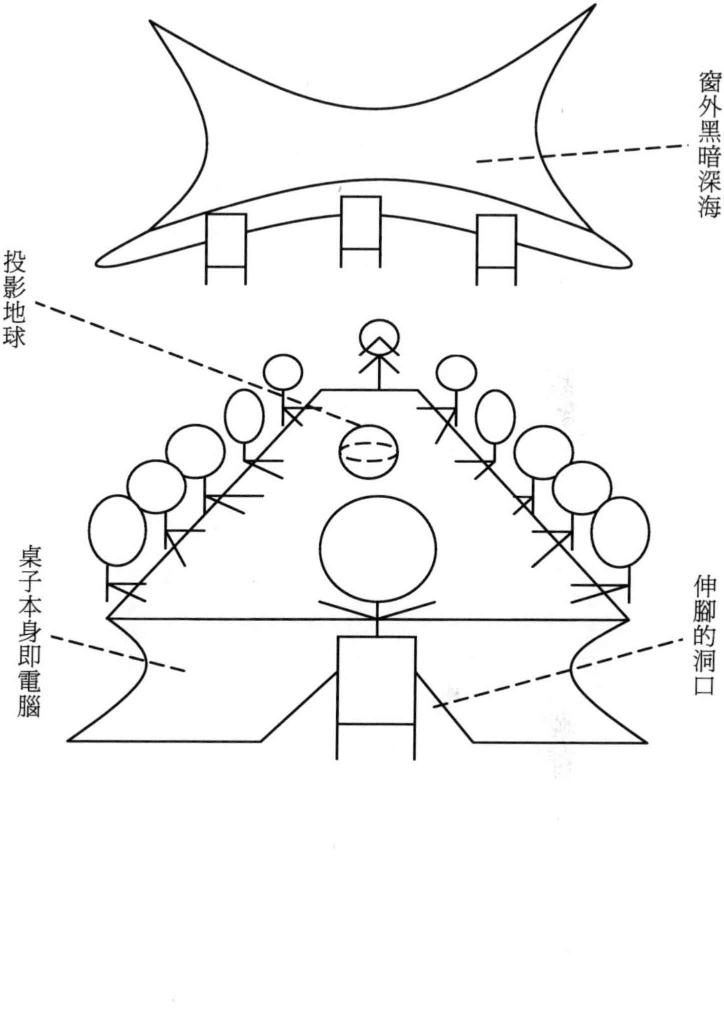
窗外黑暗深海
投影地球
桌子本身即電腦
伸腳的洞口

袁毓真坐在老頭子的對面，眼睛不看其他美女了，轉而盯著夢蘿說：「妳是夢蘿嗎？還是新製造的機器人？」夢蘿回答說：「我是夢蘿啊。跟你一起闖九宮幻方與台島激戰的那個機器人。」袁毓真笑著說：「老頭子把妳換成這軀體，是讓在座的美女們都忌妒嗎？」夢彤與原本的夢蘿是一模一樣的軀體，她插嘴說：「你這麼說，意思是原來我這種臉型不好看喔？」歐陽玉珍說：「不會的，我感覺都很好看。」何佩芸笑著說：「女的看法不準確，要男人來作評鑑啦！」其他女子也逐漸收拾原本的神情，隨著話題小聲互語。

老頭子咳嗽一下，示意眾人安靜。待安靜之後緩緩說：「今天把大家集合，是真的有非常重要的事情。可惜最聰明的賀嘉珍不在，不然我不用這麼擔心。」他之前就看出那女子聰明過人，不過在眾女子面前這樣稱讚賀嘉珍，並不會引起忌妒，因爲賀嘉珍的相貌平常，不能跟在座的任何一個女子相比。

這會議桌的桌面，就是一個特製的螢幕，老頭子打開會議桌上的螢幕，螢幕投射出一個立體大型的地球在桌面上，並且緩緩地旋轉著。接著道：「經過龍族兵器這次又大規模掃蕩，除了中國之外，已經殺得一個國家都不剩。觀察他們的交戰經驗，也證明任何核武器，都無法阻止龍族的進攻，只會引起更大規模的毀滅武器。中國已經是面臨最後關頭，前幾次戰役也充分表現，跟其他國家一樣，沒有抵抗龍族的能力。尤其看了夢彤這次拍攝的首都戰鬥經過，讓我非常地氣憤。假設再拿不出辦法來，我們國家就要滅亡了，人民也都要被殺光，包括各位小孫女的親屬家人也是。所以這次我打算投入所有兵力……」

袁毓真忽然笑著打斷他道：「啓稟皇爺爺！這次的行動不要算我一份，我已經經歷太多次的戰鬥了。應該好好休息！況且這次被審判，我已經想通啦！我是『華夏文明國』的皇孫，中國跟我沒有關係，那是元首大人的事！我們只要在這裡躲到龍族去九九星球就可以了！」

老頭子罵道：「笨蛋！覆巢之下豈有完卵？要不是國家這個大目標吸引著龍族，你想我躲得過龍族的追蹤嗎？這次一定要救援他們！假設你不參加，那你就滾出我的船！」開始自稱我，態度又從華夏文明國皇帝，變成中國百姓，袁毓真被他搞得暈頭轉向。

袁毓真苦臉道：「你又來這招了……但是經過這次首都之戰，已經證明我當了袁崇煥，幫他們反而被判刑。要不是蒂娜等人，我就死在獄中啦！所以我轉變想法，我寧願當洪承疇或吳三桂，不如跟龍族合作……」老頭子氣得吹白鬍罵道：「閉嘴！先前其他被攻擊的國家，多的是人要跟龍族談合作，請問龍族有答應誰？你再說一句，我就不把你當孫子啦！」袁毓真皺眉不語。

蔣婕妤說：「袁大哥，你就聽老爺爺的話吧。畢竟你也參加過智慧四人組，過去國家也給你薪水過生活不是嗎？」其他女生也都附和，妳一言我一語勸他。袁毓真皺眉頭，顯得不耐煩地點頭說：「老頭子你態度很會反覆！好了！我知道了！我參加便是。但是我能扮演什麼角色呢？」

老頭子哼了一聲說：「自然會讓你發揮專長。」然後看著蔣婕妤接著說：「之前跟妳一起參加南十字星計畫的中行士楊恒萱，跟我一樣建立『域固蠶變』的變易過程，他透過袁毓真的電腦通訊器，跟我取得聯絡，建議我跟他建立域固蠶變的連接鍵，共同進攻龍族的宇陣群或是小島上的宇陣關鍵物。攻其必救，一次殲滅大規模的龍族戰鬥群，最好能像琉球之戰一樣，打掉一艘宇宙戰艦。」袁毓真心思：（我的電腦在審判時被沒收，那不是有曾有能的病毒嗎？楊恒萱竟然這麼厲害！可見跟他比較，我們其他三人的智略，遠遠輸給他。）開口道：「小島上那個東西，我跟紅二號也說過，千萬不能去動它，不然龍族就跟人類沒完沒了。」老頭子說：「這我知道，我並沒有答應打小島的關鍵部位。反而我們要的關鍵點就是，兩種域固能力建立連接鍵，啓動外界局面與自身型態的演變路徑。」

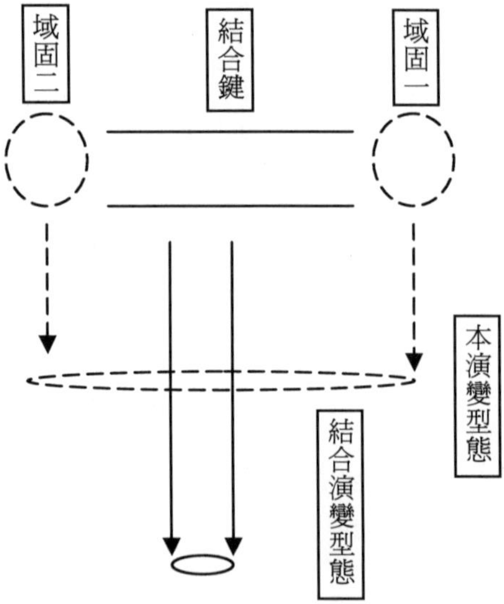

於是螢幕又伸出一立體透明版，秀出一張圖，展現老頭子的域固概念。接著說：「依照次易原理坤卦，道先無窮的存在性根本法則，任何物質架構型態，最根本都是延伸變易體而來，沒有真正的物質基本單位。所以形態演變可以被選擇出來，任何感官意識都不能依照經驗，來確定『必然的命運』。任何的物質粒子，都是各自的域固卦，相互連結之後產生一種演變型態，此型態就是域固的關連體，而不是真正的誰去組成誰。若兩種域固能力建立演變態勢，那麼新型態的各種事物就會延伸。所以我跟楊恒萱建立這種關鍵組合，就有機會抓得到正確的演變方向，人類有可能抵擋得住這次龍族進攻。」

除了蔣婕妤、袁毓真與三台機器人，其他人都聽不懂他說的是什麼意思，但都感覺得到，這是利用一種深邃且根本的法則，幫助大家躲過災難的方式。

袁毓真說：「話雖如此，但是新結合型態的根本域固力，並不是絕對穩固。所以建立出來的演變路徑，不見得能支撐得過龍族摧毀。」

老頭子說：「所以這次是拼出全力，我的壓箱法寶也要出陣！」蔣婕妤似乎是因為父母雙亡而急著復仇，也開口說：「嗯！老爺爺一定要算我一份，我跟妹妹兩個丫頭，願意替你做任何事情！」其餘女子也都紛紛點頭支持。李韻怡則牽拖著廖香宜，一定要幫助袁毓真。袁毓真頗為不安，心思：（計畫是很好，可惜龍族比我們還懂『變易』。拼出全力？難道這是最後一搏了嗎？）

第三幕　關鍵情境

楊恒萱雖然被元首大人掣肘，但是青島區的地下生產工廠，已經進入自動化生產。這些機械獵犬則完全聽從楊恒萱的調度，讓元首大人的力量去分散龍族注意力。

啓易三年，四月二十六日早晨。

老頭子的太空船出現在青島區外海，計劃率先進攻青島區北部的宇陣群。老頭子駕駛著一台三板變型戰鬥機，旁邊跟隨著接近一千架的飛行機器人。而袁毓真、談玉琰、李韻怡、廖香宜、克莉絲蒂娜，帶領三百台大隊機器人打宇陣群北部。蔣婕妤、姜麗媛、黃敏慧、歐陽玉珍、何佩芸、夢彤，穿著緊身全紅裝甲衣，頭戴紅頭盔，各持擅用兵器，帶領五百台機器人打宇陣南部。蔣媛妤與夢蘿則留守太空船，指揮剩下的兩百台機器人，在海底太空船當做預備部隊。這已經是老頭子全部的力量，準備拚死最後一戰。

另外一方面，楊恒萱收到進攻的信號彈後，出動所有能動員的第三蠶變機械獵犬三千架，埋伏在宇陣外的三處戰略出發點。

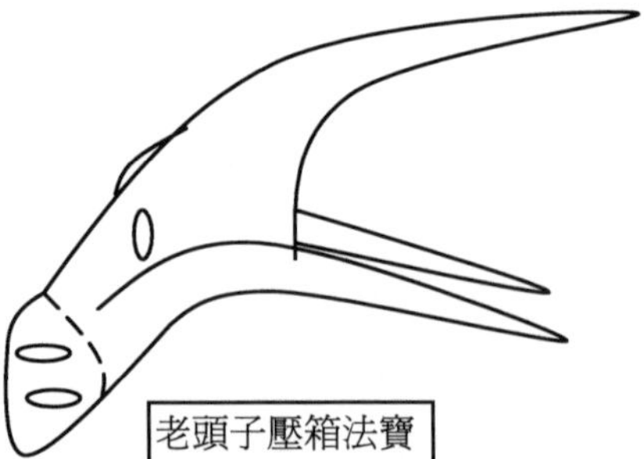

老頭子壓箱法寶

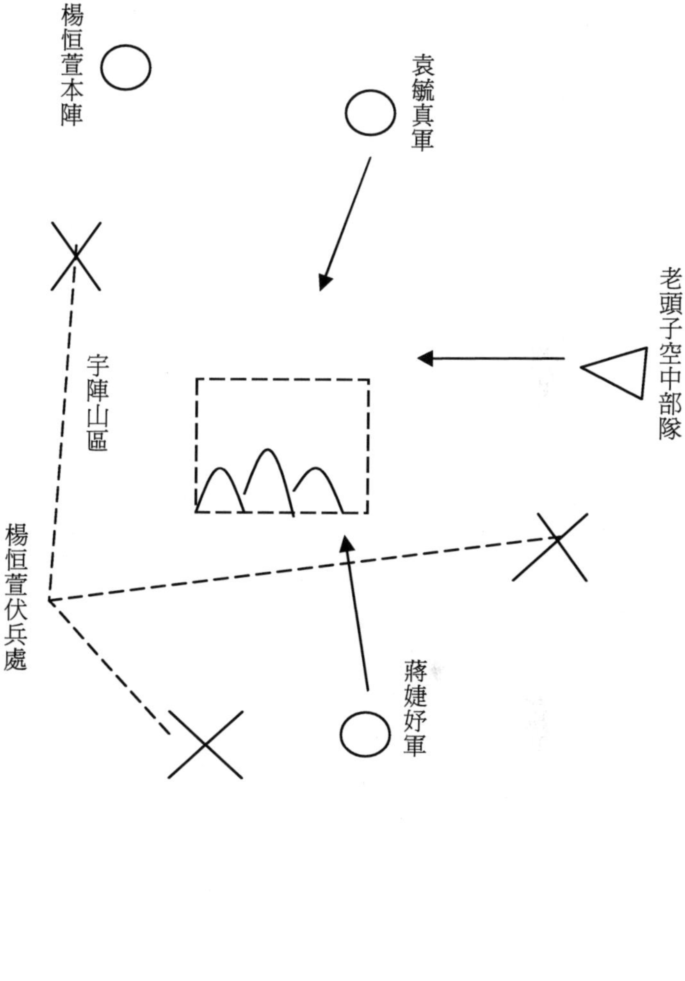
楊恒萱本陣
袁毓真軍
老頭子空中部隊
宇陣山區
楊恒萱伏兵處
蔣婕妤軍

宇陣藏在山區，空中與周圍都有龐大的龍族自動兵器把守，一旦遭受到無法抵抗的進攻，就會立刻連絡外太空軌道上的龍族艦隊。

戰火首先從空中打響，老頭子帶領著空中飛行機器人，與龍族的花型戰鬥機猛烈交火，三板變形戰鬥機，可以因戰鬥狀況而摺疊變形，火力比龍族的花型器還強。趁著機器人正與龍族飛行兵器交戰，老頭子的座機迅速穿插，邊打邊衝入宇陣上空，開火轟炸。經過前兩次被襲擊，龍族這回已將宇陣器架設一定程度的防護罩，尤其是空中的突擊火力根本不能打穿。老頭子只好回頭迎戰龍族空中部隊，呼喚地面兩隊快速進攻，炸燬防護罩發功機。

蔣婕妤等五名女子，全身衣褲都是紅衣底紅裝甲衣，可以防普通彈火攻擊。蔣婕妤手持機器人操控器，指揮眾多機器人。姜麗媛端著一把粗大的槍枝，火力如同夢彤的離子砲。黃敏慧拿著導向火箭筒。歐陽玉珍拿著長管狙擊槍。何佩芸則背著全套醫療設備。夢彤右手雖爲武器，但手上仍持重型機關砲，以保護眾人前進。蔣婕妤隊已經打入山區。打先鋒的驃騎將軍型號機器人，與鐵人型機器人，已經跟龍族蛇形怪、圓盾怪交火。空中忽然一台花型兵器靠近，炸毀身邊數台機器人，黃敏慧拿著火箭筒就射，精準打下花型器。在炮聲四起中，忽然一隊圓盾怪從山區叢林冒出，向這裡開火，夢彤預先知道不好，跳到何佩芸中間擋住彈道，左肩中菱彈，一切通訊設備受損，但是右手持重機關砲猛烈反擊，其餘女子也都尋找掩護開火射擊，經過數分鐘交火，終於把這一隊圓盾怪消滅。

蔣婕妤指揮機器人繼續往前衝，轉身問夢彤：「有沒有受傷？」夢彤說：「左肩裝甲略損，通訊器故障，其餘功能都還可以運作。對方火力很強，妳們身上裝甲頂多支撐一彈，等一下要非常小心地前進。」

眾女子繼續領著機器人往前進攻，已經可以看到對面山頭的宇陣器了。但是更多的龍族自動兵器撲殺而來，機械碰撞聲、四散爆炸聲，樹木倒塌聲，眾女子雖然也身經百戰，面對如此激烈的交火，也都躲在大石頭後面尋找掩蔽。大石頭上跳上一個三角立身戰鬥兵器，眾女子還沒反應過來，它已經開火，歐陽玉珍的狙擊槍被炸斷，裝甲破損臉部劃傷，姜麗媛急轉槍對之猛開離子砲，將其炸碎。何佩芸急救她，她哭著說：「我要毀容了……」何佩芸笑著說：「小傷啦！談玉琰的腿幾乎斷掉，老爺爺的醫療器材還不把她全部治好，連痕跡都沒留。這妳放心啦！」快速醫療後遞給她自己配戴的手槍。

夢彤說：「這次運氣真好，假設不是狙擊槍擋在前面，這麼近的距離射出菱形彈，身上的裝甲也支撐不住的。」說罷跳出大石頭外，用機關砲對衝過來的龍族各式兵器猛烈射擊。

蔣婕妤大喊道：「機器人大隊已經只剩兩百一十台，我們還得往前打三公里才能對宇陣器的防護罩放置炸彈。這恐怕很難完成。」

夢彤說：「這一次的戰略目的在引出龍族主力，並且與另外一股域固力量結合，所以沒有炸燬也無所謂。我們現在可以撤退，保存實力再說。」

蔣婕妤想到父母慘死在龍族兵器下，激憤不已，怒道：「不行！我一定要炸掉這一座宇陣器，姐妹們快跟我殺出去！」眾女兵不約而同點頭稱是。夢彤也只能保護著她們繼續往前攻擊。所有機器人也都擺下保護陣往前進攻，保護蔣婕妤這個隊伍的指揮中心。很快地七台龍族空中怪頭飛艦，在遠處放下大批的飛行兵器與著陸兵器，很快地就衝到蔣婕妤這一隊的後方。後面的機器人擺下火力防線，拼命地阻擋龍族兵器進攻。

正當蔣婕妤這一隊受到圍困，袁毓真那一隊卻很順利靠近目標宇陣器，沿著山路緩緩接近到距離點，談玉琰身穿黃底黃色裝甲衣褲，型態與蔣婕妤等女子相同，手持與姜麗媛相同的離子砲槍把。而袁毓真、李韻怡、廖香宜仍舊常服裝扮，兩女子雙手食指套上金屬光炮武器，袁毓真則手上操作機器人指揮器。克莉絲蒂娜也手持機關砲護衛。靠近另外一座宇陣器防護罩的發功機。

進入範圍草叢，袁毓真拿著望遠鏡看了看，對李韻怡說：「奇怪，蔣妹妹那邊陷入苦戰了，這裡的龍族兵器怎麼這麼少？」談玉琰說：「並不是少，而是皇帝陛下命令一隊飛行機器人，先在前頭幫你掃清阻礙啦。還不知道你的皇爺爺非常關心你嗎？」袁毓真嘆口氣，緩緩說：「多謝吾皇恩典……」李韻怡笑著說：「兒孫總是不知道父母苦衷，就像我以前，根本不想念我那一對不關心我的父母，這麼久沒見到，卻也擔心他們有沒有躲過戰火。」廖香宜也嘆口氣說：「我也是，假設邦邦主人的時間路線被接受，龍族就不需要這樣毀滅人類了。」袁毓真點頭說：「是啊，人類壽限是很短的，不過妳們應該記得最早談判時候，龍族與我的對話。邦邦的時間路線，也不是因為保護人類才堅持，而是有牠自身的執著。」

眾人的對話已經引起遠方的龍族兵器，偵測到人類活動。於是向這裡撲殺過來，已經與前方機器人交火。同時空中衝來花型兵器，所幸老頭子的空中大隊將之攔截廝殺。

李韻怡、廖香宜雙手食指對陸地龍族兵器左右開攻，身影迅速穿梭躲避，指光砲一下就可以消滅一台龍族兵器，火力非常強大，爲邦邦給兩女子的貼身武器，只是發彈數有一定的限制，能量很快就會消耗而需要補充。談玉琰與克莉絲蒂娜，各持武器，左右護衛袁毓真，袁毓真不斷轉換機器人的戰術掩護，最後一台機器人衝到防護罩發功器旁，安裝高性能炸彈將之擊毀。

龍族兵器迅速調整，從空中保護這座宇陣器。對眾人猛烈轟炸，袁毓真等人擠在一倒塌的大樹幹後面，克莉絲蒂娜則拼命對空反擊。此時老頭子機座得到防護罩破功的消息，立刻衝到這一座宇陣器上，開火將之擊毀，並協助掃蕩空中的龍族兵器。

蔣婕妤緊急求援，袁毓真攻破目標後馬不停蹄往該處增援。但是兩隊中間有厚重的龍族兵器陣阻擋，兩邊都被火力壓制抬不起頭，而老頭子與空中兵器相互纏鬥，分不開身。

眾人躲在掩蔽物後不敢移動，李韻怡對袁毓真說：「我跟白的指光砲能量用盡，只能等到回基地才能充電。快給我們武器作戰。」袁毓真苦臉道：「誰叫妳們剛才不多拿些槍枝。好吧我的雙槍給妳們，一人一支，勉強用吧！」李韻怡與廖香宜遂各持一手槍，一遠一近，交相掩護，開火反擊，竟然彈彈精準，打中龍族兵器的核心偵測器，一打中該兵器，該兵器就失去準頭，逐一被戰鬥機器人或克莉絲蒂娜消滅。

袁毓真見了，對二女子的戰鬥能力，頗感吃驚。低頭看了電腦螢幕，轉而苦臉罵道：「我這隊機器人只剩下五十台啦！再這樣下去防線就要被突破，我們就要被殺光了。那個死禿頭楊恒萱不是說要支援嗎？怎麼打到現在都沒消息？」電腦傳來蔣婕妤的聲音說：「他剛才有跟我通訊說，馬上會有支援，要我們兩隊再多支撐一下。」

兩隊被反包圍，交叉火力打擊，指揮中心防線，眼看就要被攻破，眾人都趴在地上無法開火還擊，只能靠機器人拼死擋住。忽然地下空中與遠處地面，出現大批機械獵犬，從背後開始進攻龍族自動兵器。

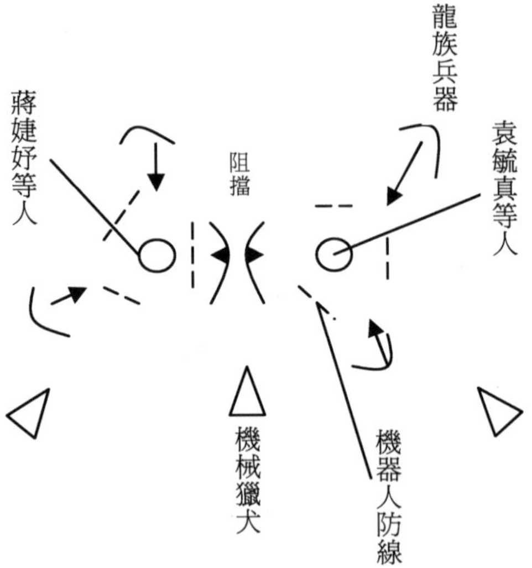

機械獵犬密集且精準地開火，並且兩邊開火掩護一邊衝殺，終於把龍族兵器擊退。並順勢攻破宇陣防護罩發功器。老頭子於是啓動重火力，又將此宇陣摧毀。楊恒萱開著小型裝甲車，與袁毓真等人會合。

楊恒萱神情悠閒淡淡地說：「抱歉來晚了，好險沒造成傷亡。」蔣婕妤等五女孩，開心地一一上前握手，反倒把袁毓真等人冷落了。袁毓真悻悻然上前說：「楊大哥能來我就非常感謝了，並不嫌晚。可我感覺不應該把龍族的宇陣給摧毀，依照龍族的空間路線，地球只是星際航行的中繼站，並非終極定居點，這可能會是人類跟龍族談判的關鍵點。」

楊恒萱被這麼一說，摸著前額，而後看了看倒塌的宇陣，若有所思。忽然瞪大眼睛說：「糟了！這就是關鍵情境！倘若我們摧毀防護罩，不趁勢打宇陣，反而留下一個和平的訊息。那麼對龍族與對我們，都是一個選擇機會。唉！」大嘆了一口氣。蔣婕妤問：「之前我們不也摧毀過宇陣嗎？」楊恒萱搖頭說：「完全不同！之前只是建築階段，現在已經開始在運行。人類與龍族一直無法談判，就是邏輯相互不能通。罷了……後面幾架宇陣器我們不打了！」

第四幕　天后戰神

於是眾人通知盤旋於空中的老頭子撤退，老頭子說：「我不認為後續的變化會因為這兒轉折，現在判斷這是『關鍵情境』還太早！全國各地子民的深仇大恨，乃至全世界人類滅絕的慘狀，還待此役來報復。不打掉一台戰艦或是運輸船，宰掉幾隻龍族怪物，我不會撤退的。」楊恒萱才要繼續申辯，袁毓真嘆口氣拉住他道：「別勸了，我祖父的性格勸不動的。假設楊大哥要走就先撤，我們留下來收拾善後。」楊恒萱也嘆氣道：「次易原理的數制邏輯觀念，相信你們都知道，關鍵情境的答案都在於正常邏輯不可及之處。而今我後知後覺，你祖父不知不覺，都是命運使然，可見我們的智慧都還太淺薄。如今只有繼續奮戰到底，建立域固結合鍵。」

眾人快速轉移陣地，前往伏擊援軍的預定地。果然數艘怪頭飛艦又出現，釋放大批的陸空自動兵器，老頭子見狀，率領所剩飛行機器人從空中掩殺過去，楊恒萱也回小裝甲車，指示所有飛行獵犬助戰。一時空中戰鬥又再次打響，在混戰中老頭子的戰鬥兵器變形，底下兩板狀物變形成雙腿，頂上的板狀物一分為二，變制成雙手。成了一機器人，但是飛行噴射器仍然靈活推動著它，展現出來的戰鬥力更強。

一路在空中蜿蜒追殺，追上了一台怪頭飛艦，發射數枚飛彈與強力離子砲，只見該怪頭飛艦周邊泛起紫光，龍族經過首都之戰傷亡的教訓，已經將怪頭飛艦也加裝一定程度的防護罩。

老頭子抓著操縱桿說：「哈，你以為這能難得倒我嗎？這種程度的防護罩還不是很難破解！」於是數十台飛行機器人一擁而上，釋放強力電磁波，一陣爆炸轟裂，機器人全部墜落，但是防護罩也已經破損。老頭子抓緊機會火力全開，把一台怪頭飛船轟掉，上面十五隻龍族怪物隨船陣亡。其餘飛船遠遁而不敢靠近，拼命釋放空中戰鬥兵器，把老頭子與眾多飛行機械獵犬，在空中團團圍住，火力陣比先前更為猛烈。同時也不放過陸地上的眾人，陸空同時對他們進行掩殺。楊恒萱、袁毓真與蔣婕妤三人的電腦連線，把剩下的機器人與機械獵犬搭配成戰術單位，一場機械聯兵作戰，打得火光四起，最後把進攻的龍族兵器全部擊退。海中的夢蘿見空戰不利，浮上了太空船釋放所有機器人，飛去協助老頭子助戰。

老頭子飛行器左右火光四射，彈片飛舞，仍然率領著來支援的預備隊機器人，在烈焰中衝到另一艘掉尾的怪頭飛艦附近。自然遭遇到飛艦本身的艦砲，與護衛兵器的火力猛攻。上方是龍族主力怪頭艦，下方是人類菁英變形機，一邊要保衛宇陣滅人類，一邊要復仇雪恨殺龍族，這裡傾巢兵器列火陣，那裡穿梭猛攻發彈雨。一時間空中一片混戰廝殺。

龍族十大神器之一：天后

老頭子在火陣中，終於抓到機會施展剛才的方式，並躲開怪頭飛艦的艦砲攔截，火力全開，又打下一艘怪頭飛船，宰掉十五個龍族。其餘飛艦不敢戀戰，全數撤退。眾人正以為大獲全勝，歡欣鼓舞，要凱旋收兵。忽然遠處出現一台，機體泛紅的龍族兵器，率領著眾多花型兵器向這裡撲殺過來。

這機體泛紅的龍族兵器，類似琉球之戰時的『天帝』，但是機型別有風格，天帝機體泛藍光，這機體泛紅光。瞬間跳入戰圈，與老頭子楊恒萱的空中聯軍大打出手。李韻怡與廖香宜，透過袁毓真的望遠鏡，看到這台巨大機體，都大驚失色。李韻怡大喊說：「毓真大哥，快叫老爺爺撤退！這是龍族的十大強力宇宙兵器之一，『天后』！跟邦邦主人偷來的『天帝』齊名，戰力可以抵得上一台龍族超級戰艦。」

袁毓真急忙轉告，但是老頭子似乎沒時間對袁毓真答話，在戰火中邊打邊退，之前追殺龍族怪頭飛艦，現在反而被龍族天后追殺。最後只見『天后』發射一招五彩光罩彈，包含老頭子的座機與所有飛行機器人、飛行機械獵犬紛紛墜地，在遠處山腳下四散爆炸。袁毓真大聲驚呼：「不！」急忙叫上了克莉絲蒂娜，帶領所剩機器人往該處衝去。蔣婕妤與楊恒萱，也率領所屬機械部隊跟了上去。天后在空中打勝，探知地面眾人不再進攻宇陣，遂往太空撤去，而龍族大批陸地兵器，群起列護所剩的宇陣器，並對眾人再次進攻。楊恒萱出動所有埋伏的陸地機械獵犬戰鬥，保護著眾人。

在炮火中，眾人蜿蜒著山路下山，找到了三板變形座機的殘骸，從裡面拉出了受重傷的老頭子。帶到山中樹林醫護。直到紅二號靠近，把眾人從該處接回海底太空船，剩下的機械獵犬撤回製造基地，整個戰役才算結束。

海中太空船醫療室。

老頭子傷重搶救無效，只看了袁毓真一眼就死了。袁毓真痛哭失聲，周圍所有醫治的機器人全部伏地，大喊：「皇上龍馭歸天！」一台全身金黃色鐵皮的勞務型機器人，一拐一拐走來，拍了拍袁毓真肩膀，手上端著立體投射機說：「依其先前遺願，對皇太孫宣讀『大行皇帝遺詔』。」袁毓真用袖子擦了擦眼淚，緩緩說：「放映吧！」金皮機器人等級比較低，不能跟克莉絲蒂娜這等級相比，所以只能做些照料日常生活的事。笨拙地按下投映機，出現了老頭子的立體影像，這似乎是在首都之戰前就錄製，背景還是海底基地，他身上還穿著漢朝皇帝款式的衣裝。

投映的老頭子說：「這是我對毓真孫兒的遺詔，當你看到朕的這段立體映像時，代表朕已經龍馭歸天。首先我要謝謝毓真，因爲我所發明的機器人，智能程度頂多與人類的聰明者相當，而你參加對龍族的好幾次驚險探索，讓朕得以分析人類之外的智能模式是什麼，而這就是朕畢生想要追求，卻一直追求不到的。這也將是我給你的最重要一份遺產。」於是鞠躬一下表示謝意，然後嘆口氣說：「而今龍族已經對人類發動總攻擊，分析了人類與龍族的基本思考方式，發現人類不可能是龍族的對手。真的是以智強盛而敗於智，以此始當以此終。朕駕崩後，所有機器人聽從袁毓真的指揮，接替朕的皇位，在龍族戰爭中保護他，不要求有多少後代，只希望毓真快樂活過這一生。至於最重要的智能遺產，等時間到，夢蘿會交給你的。最後，把我的遺體用液態溶解劑分解，分解成最小的分子單位後，裝載小火箭上，發射到太空深處去。讓我能永遠飄盪在星辰大海，與宇宙同終。欽此。」說罷就關閉投影。

袁毓真含著淚，握緊拳頭說：「你這個天才瘋老頭，華夏最後一個皇帝，就這樣死啦？就這樣結束瘋狂又快樂的一生嗎？」才知道之前的會議氣氛，怎麼那麼古怪，原來老頭子已經抱著死戰到底的決心。說罷又哭了出來。眾女子與楊恒萱在醫療室外，見狀都走了進來，姜麗媛輕聲地說：「人死無法復生，袁大哥你還有我們啊。」蔣婕妤也拍了拍他肩膀說：「是啊，以後你還要照顧我們呢。我們的親人都被龍族殺害，更要團結復仇。」沒想到袁毓真嘆口氣說：「照顧妳們我會盡力，但是復仇……很抱歉，我放棄了……」

眾人聽了都是一驚。蔣婕妤皺眉說：「你怎麼會說這樣洩氣的話？」

袁毓真再用衣袖擦眼淚說：「這不是針對個人的私人恩怨，而是物種層次的問題。擁有那麼多資源，那樣好條件的整體人類，最後都敗於自己的愚昧慣性，我一個人又算什麼？而且我們跟龍族交手這麼多次，有哪一次是真正大獲全勝的？就算是全人類，也都得屈服在無情的法則下。所以我放棄了……至於妳們家人……我真的很抱歉……」蔣婕妤轉而微笑，且淡淡地說：「沒關係。」

楊恒萱長嘆一口氣說：「經過這次戰鬥，我發現龍族還沒有傾全部力氣打人類，但人類大部分國家都已經滅亡。那個叫『天后』的兵器，力量真是驚人……恐怕首都保不住了……我的祖國啊……」轉而又問袁毓真：「老弟以後有什麼打算？」

袁毓真說：「存藏大量食物、飲水與資材，在這艘船上盡力生產戰鬥機器人，躲入海中自保。其他我都不想去碰了。」楊恒萱說：「不願意幫助我一起保護國家嗎？」袁毓真低頭答道：「我把老頭子終身研究的東西都複製給你，國家靠你來保護。至於我，是被通緝判刑的人，只想要自保就好……」說罷神情已然氣餒。楊恒萱遂點頭說：「沒關係，人各有志，感謝你能這樣幫忙。」

蔣婕妤說：「楊大哥，我跟你去對付龍族，我得報仇雪恨。」蔣媛妤也答道：「姐姐，我也去！」。楊恒萱笑了一下說：「我可不是去報仇的，妳們姐妹還是在這裡安全。」蔣婕妤說：「我跟妹妹心意已決，還有四名女兵妹妹也是。」姜麗媛、黃敏慧、歐陽玉珍與何佩芸都紛紛點頭，似乎不再管氣餒的袁毓真了。袁毓真也低頭，不想爭辯什麼。

楊恒萱笑著說：「我可不像毓真老弟這麼會拼死照顧女孩，這麼多人會牽掛我的行動。」蔣婕妤說：「我們可是身經百戰的啊！可別拒絕我們！」楊恒萱說：「毓真老弟答應，我才同意讓妳們同行，不然我絕不答應。」六名女子同時看了袁毓真，他神色落寞地說：「妳們難道都是拼命要報仇嗎？」黃敏慧答道：「蔣組長與蔣妹妹是要報仇，而我們四個是要去找自己的家人。」袁毓真點頭說：「好吧，妳們跟著他去吧，要保重生命。我除了給妳們最好的裝備，還會派夢彤幫助妳們，假設妳們遇到危險，一定要告知我。萬一沒地方去，這裡還是妳們自由進出的家。」四名女兵同時點頭說：「謝謝袁大哥。」

第五幕　十大宇宙戰神

於是紅二號把楊恒萱、蔣婕妤姐妹、四名女兵還有夢彤，載到青島區地下兵工廠後才自行返回。

啓易三年五月一日，太空船從海裡發射一枚小火箭，穿出海面飛往太空，向著北極星的方位，一去不再復返。

送走老頭子的遺體，袁毓真失落地坐在指揮室發呆，李韻怡、廖香宜、談玉琰先後來到指揮室。李韻怡與廖香宜，似乎只喜歡穿固定的紅白衣飾，所有衣服都是相同的樣式，談玉琰則穿著克莉絲蒂娜的西式衣褲，頭髮卻仍是雙髻打扮。李韻怡說：「毓真大哥你別失望，你還有我們三人幫助你喔。」廖香宜咧著嘴沒說話。袁毓真說：「也許我真的很懦弱，被通緝又戰敗，從此就只想躲在海裡。」

談玉琰微笑著說：「又不是只有你被通緝。我參予劫囚，等於徹底宣告背叛組織，剛才聽克莉絲蒂娜切入國家組織秘密訊息，說我不但被特勤廠通緝，十二影肖組織還對我下達『格殺令』。絕對不留活口。」袁毓真聽她一說，呵呵一笑，暫時撇開了憂鬱陰霾說：「十二影肖有啥本事？還不都被我的老爺爺制服？想要通緝妳？只要有我在，那就是不可能！」氣氛打開，四人坐在會議桌上，就聊了起來。

聊了許久，李韻怡故意推廖香宜坐在袁毓真身邊，和氣地說：「白，妳就別這麼拘謹，告訴毓真大哥，什麼是龍族的宇宙十大強力兵器。」袁毓真看廖香宜的眼神，似乎沒有那麼敵意，反倒有幾分曖昧，心喜而思：（難道她內心接受我的提議嗎？呵呵！那就太棒啦！）但是嘴巴上微笑著問：「快告訴我，這跟我祖父的去世有關！」

廖香宜說：「這是邦邦主人教導我們龍族基本文字時，順便提起的。這是兩個龍族的特級思維學者，庫珠與詛拉，汲取某星球軌道上，上古太空戰爭的遺骸，慧摹變塑設計而成。只是這兩個偉大的龍族學者，都已經在龍族母星上去世。」

袁毓真說：「等等，妳說的上古戰爭遺骸是哪一物種的？慧摹變塑是不是說次易原理的慧摹卦？」廖香宜點頭說：「可以說是慧摹卦義。龍族把任何的熟悉與非熟悉物態，都當作『原力』來看待，而不像人類只對新奇事物好奇，而後又沉溺於慣性。龍族這也就近於次易原力卦。至於是哪一個物種遺留的太空殘骸，這一點龍族也不很清楚。總之那物種的科技，甚至還在龍族之上，但是該不知名的星球上，卻沒有生物現象，推測那物種不是移民其他星球，就是已經滅絕。」

袁毓真問：「那麼十大兵器又是什麼？」廖香宜說：「十大兵器也可稱之爲龍族十大神器。外表可以看出，創造自同一系列，而武器各有所長，但是關鍵在非戰爭的使用特性。例如你看到的『天后』，就有製造空間宇陣器的核心活體。所以你也可以說，這武器算是工程製造部隊。」袁毓真問：「我在琉球之戰時，見過跟『天后』很類似的兵器，那是不是也是十大神器之一？」

李韻怡搶著說：「是的，那是邦邦偷來的座機，叫做『天帝』。而十大宇宙兵器的名稱，其實都是我跟白，依照特性翻譯的。邦邦的『天帝』，則是時間路線重要的工程兵，是創造時間『宙陣器』的核心機體。」袁毓真嘆口氣道：「龍族之前沒有出動幾次十大兵器，就已經把人類殺得片甲難留。要是十大兵器全部出陣，那就全完蛋了。到底有哪十大兵器啊？」

廖香宜立刻扳著手指回答說：「我翻譯的名稱是：天帝、天后、天麟、天象、璇樞、宗冰、翩狼、龜闔、圜洸、礎曜。『天帝』核心機體可以觸及時間形上體。『天后』則可觸及空間形上體。『天麟』總制情境佈局規劃，擁有知識系統的高效率思維器。『天象』觸及變易體取象規制，有點類似次易原理各卦實踐意義的規劃。『璇樞』可以協助製造大量的龍族兵器，我們先前交戰的龍族兵器，多數是利用它生產出來的。『宗冰』的機體觸及生物的自我修復與生存，是高效的醫療設備，還可延長生命體某一程度壽命。『翩狼』機體則可以轉化一部分的重力分布，來積蓄動能，甚至可以製造短暫且小型的黑洞。『龜闔』機體是製造防護罩發功器的核心，本身也具備氫彈也打不穿的防護罩。『圜洸』機體可以收發遙遠星球外的訊息，明確分辨出星際圖，戰鬥時的光能武器也最強勁。『礎曜』機體則可以忍受恆星表面外，一段距離的高溫，將恆星反應逆轉，能量轉制成質量分布，是龍族製造太空艦隊，需要特殊資材的重要關鍵。」

兩女頗有默契，才說完李韻怡就接口說：「這十台，與其說是兵器，不如說是龍族十大神器。本來這些技術，龍族都已經具備，不過透過這十大神器的製造與鍛鍊，使這些能力就高度成熟。雖然龍族不用這神器，也辦得到這些功能，但當初仍然願意耗費一代龍族的青春，去鍛鍊這神器，把一切知識結晶，與兵器功能相結合，成了全族指標性的神器。只有選上爲特級思維學者的龍族個體，才能當這十大神器的駕駛員，號稱爲十大宇宙戰神。所有龍族都因而凝聚在一起。」袁毓真問：「那麼邦邦算是十大戰神之一囉？」

廖香宜搖頭說：「不是的，邦邦主人只是初級思維學者，負責管理雜務以及馴養牲畜的龍族個體，所以我跟紅都是給邦邦調教的。至於牠駕馭天帝，則是牠利用天帝維修的時候偷走的。」

袁毓真大笑說：「哈哈！我當邦邦有多厲害，是什麼『齊天大聖』，原來只是天宮中的『弼馬瘟』！」李韻怡皺了眉頭說：「你可別看不起我的主人啊！就像人類不見得是高官才有學問喔！」她話語還是很溫和。袁毓真歪著嘴微笑說：「他不是人，而是龍。所以妳們應該改稱牠為『主龍』。不過由此看來，龍族也進入次易原理屬著天翦篇說的，降優自適，自擇天翦，在智能這項自擇型態中，做出適性的選擇，而不是適當的選擇，都進入到物種的末世。不然『弼馬瘟』就不會變成『齊天大聖』，跟整個龍族大打出手，不然整個龍族也不用走什麼空間路線去移民，這些都只是滅絕前夕的哀樂。」

沉默一下，轉而嘆氣道：「那麼現在十大神器應該都在地球軌道的艦隊上了，人類看來是死定了。」李韻怡說：「這也未必，邦邦主人偷竊了『天帝』，而天帝的機體雖主管時間，但是也是空間路線的要素之一。其他龍族要製造替代品來彌補『天帝』的空缺，牠這一來就等於拖延了進程，可見龍族再厲害也不能做到滴水不漏。我們可以跟主人合作。」

袁毓真笑了笑說：「別再叫牠主人啦！牠不是人類，妳們三個女孩的主人現在是我喔！」

此話一出，廖香宜咧著嘴，半瞇眼頗為不屑，李韻怡呵呵笑了笑，談玉琰則沒有表情。

談玉琰說：「毓真大哥，我們真的要永遠躲在海裡嗎？」袁毓真笑了笑說：「不然能去哪裡？去地面？都是龍族兵器。去太空？都是龍族戰艦，而且老頭子這艘根本不是太空船，是他自己說有航行功能的，其實根本沒動力飛上去。除了紅二號，其他飛碟大概也都被邦邦拆掉了。除了這『海裡的太空船』就只剩兩艘偷來的潛水艇。所以只能在海裡。」

李韻怡說：「我倒是希望坐紅二號，去找邦邦……」她想把主人二字說出來，又急忙收回。袁毓真瞪大眼睛說：「除非我在海裡被圍攻，不然我絕不出海。至於邦邦，被自己龍族圍攻，是死是活都不知道，還是好好待在吧。」

蔣婕妤等六女子跟隨楊恒萱出戰，會有危險嗎？龍族強大的十大兵器是否會參與進攻人類？老頭子去世，袁毓真失去動力，真的永遠不出海嗎？欲知後事如何，且待下象分解。